▶▶プロが教える◀◀

2級 土木施工管理 第二次検定

濱田 吉也【著】

弘文社

はじめに

2級の土木施工管理技士は，7つある施工管理技士（土木・建築・管工事・電気・電気通信・造園・建設機械）の中では**比較的，取得しやすい資格**と言えます。

特に土木施工管理技術検定の第二次検定試験においては**「土工事」「コンクリート工事」**が施工経験記述を除く8つある設問の中，半分以上を占めています。出題範囲が狭いため，比較的短期間で勉強することが可能となります。

本書を用いての合格までの学習必要期間は，個人差もありますが，理解力の早い方であれば**1ヶ月以内**で，理解するのに時間を要する方でも繰り返し・繰り返し**3ヶ月**きっちりと学習すれば，**合格基準である60%の正解率をクリア**することが出来るはずです。

ぜひ1年でも早く合格を勝ち取り，有資格者として建設業界で活躍されることを期待しております。

令和2年末に下記のような提言が国土交通省よりなされました。令和3年度 第2次検定試験の施工経験記述時点では，例年通りの問題が出題されています。令和4年度以降どのような問題が出題されるかは，予想がつきづらい状況にあります。従来通りの試験準備に加えて，出題形式が変更される恐れがあることは頭に置き，常に最新の情報にアンテナを張るようにしてください。このQRコードは施工経験記述変更に関する動画のリンクです。参考にしてみてください。

国土交通省；技術検定不正受検防止対策検討会より抜粋

※**経験論文は，定型的な出題内容・方式**となっているため，実務経験に不備があっても，対策本等で勉強することで解答できてしまうとの指摘もあり，**出題内容・方式の多様化に向けた検討が必要**である。

○経験論文の出題内容の見直しにあたっては，①**受検者の公平性の視点**，②**実務経験要件**として求める能力の評価方法の視点から検討する必要があると考えられる。

○経験論文の解答内容は，受検者の工事経歴であるかの確認が難しいことから，**高度な応用能力を確認できる出題内容に見直す**ことはどうか。

目　次

第4章　品質管理

第5章　安全管理

第6章　施工管理

巻末付録　本試験問題

本書の特徴

1．ひげごろー先生書き下ろしの，合格できる施工経験記述を掲載

・毎年数多くの添削指導を実施しているひげごろー先生が，自身の現場経験を元にまとめた施工経験記述を掲載しています。

・本書では，**「土工事」「コンクリート工事」「舗装工事」**に焦点をあてて，解説しています。受検生の中でも経験されている方が多く，スタンダードな工事をテーマにすることで，**採点する側も採点しやすい（点数が伸びやすい）**と推測されるからです。

2．10年分＋αの過去問題を掲載

・施工経験記述はもちろん重要ですが，**施工経験記述の準備だけでは第二次検定試験を合格することはできません。**設問１［施工経験記述］と設問２～９は切り離して考えてください。**施工経験記述で合格点60%以上**をとり，かつ**設問２～９で合格点60%以上**を獲得することが間違いない合格の条件です。（合格基準や正解は発表されていません）

・本書では，**過去10年分の試験問題**に加えて，それ以前に出題されている重要問題もピックアップして掲載しています。

・分野別　**解説⇒穴埋め問題⇒記述式問題**の順で掲載しているため，解説に目を通し，穴埋め問題で基礎学力を高め，難易度の高い記述式問題に挑戦という流れで勉強できるようにまとめています。

3．各項目の理解度をチェック

・合格の近道は問題慣れと繰り返し学習にあります。本書では全問題に□□□の表示をしています。

・この□□□の活用の方法は，問題を間違えれば右端に□□☑を，何となく当たった場合には中央に□☑□を，確実に理解出来ている場合は左端に☑□□というようにチェックをいれてください。すべての問題が左端に☑□□が入ると，合格は目の前です！

試験の特徴及び注意事項

1．第二次検定試験の目的

2級土木施工管理技士の検定試験は，「第一次検定試験」と「第二次検定試験」にわけて実施されます。

※H30年度より「第一次検定（学科）試験」のみの前期試験と，「第一次検定（学科）試験」（午前）と「第二次検定（実地）試験」（午後）が同時に行われる後期試験が行われるようになりました。そのため，前期で第一次検定（学科）試験を合格し，所定の実務経験があれば後期で第二次検定（実地）試験を受検できるようになりました。

「第一次検定試験」が受検者の「知識的な内容」を問われるものに対して，「第二次検定試験」は「建設現場においてどのように施工を進めたか」などその「能力」を問われるものと言われています。特に1問目の施工経験記述では，**「施工上の留意点（担当した現場において，施工管理上どのように留意して施工を進め成功に導いたか？）」**について問われます。

2．試験の形式

「第一次検定試験」は，四肢択一（マークシート方式）で知識を問う問題が出題され，**「第二次検定試験」は，記述式で能力を問う問題になります。つまり第二次検定試験は，「書いて答える」形式になります。**マークシート形式は勘や運で正解できる問題がいくつかありますが，記述式試験ではより正しい知識が求められます。正確な答えがわからない場合も，**何か記述して解答欄を埋めることで，部分点がもらえる可能性もあるので，極力解答欄は埋めるようにしましょう。**また，問題には，全て解答する「必須問題」と選んで解答する「選択問題」があるので十分に注意してください。

過去問の「解答例（試案）」をよく理解して，自分の表現力で書けるようにしておきましょう！「第二次検定試験」は，いかに準備し，自分の言葉で記述できるようになっているかが合格するためのポイントとなります。

3．出題内容

第二次検定試験の出題は，大きく分けて，以下の9題から構成されています。

［設問1］ 施工経験記述 ＜必須問題＞	あなたが経験した土木工事の **［工事概要］** を記述
	上記で記入した工事で実施した，**「現場で工夫した品質管理」「現場で工夫した工程管理」「現場で工夫した安全管理」「現場で工夫した環境対策」** のいずれかのテーマに関する **「特に留意した技術的課題」「技術的課題を解決するために検討した項目と検討理由及び検討内容」「現場で実施した対応処置とその評価」** についての記述
［設問2・3］ 施工管理全般 ＜必須問題＞	［施工管理全般］ 施工計画，安全管理，品質管理等に関するに穴埋め問題，もしくは記述式問題
［設問4］ 土工 ＜必須問題＞	［土工］ 盛土・切土工事における留意点，軟弱地盤対策工法・法面保護工法の工法名・特徴，建設機械の用途・機能等に関する穴埋め問題，もしくは記述式問題
［設問5］ コンクリート ＜必須問題＞	［コンクリート工］ コンクリート打設，混和剤，打ち継ぎ，鉄筋・型枠の組立，養生等の穴埋め・施工上の留意点・用語の説明等）に関する穴埋め問題，もしくは記述式問題
［設問6・7］ 施工管理法Ⅰ ＜2問中1問選択＞	［品質管理①（土工）］ 土質試験・盛土材料・品質管理方式・盛土の施工管理等に関する穴埋め問題，もしくは記述式問題
	［品質管理②（コンクリート）］ コンクリート工…受入検査・施工・養生・鉄筋・型枠等に関する穴埋め問題，もしくは記述式問題
［設問8・9］ 施工管理法Ⅱ ＜2問中1問選択＞	［施工計画］ 事前調査，各種工程表，副産物対策，騒音・振動対策等に関する穴埋め問題，もしくは記述式問題
	［安全管理］ 高所作業，クレーン作業，仮設工事（土止め・型枠支保工），掘削工事，保護具の使用等に関する穴埋め問題，もしくは記述式問題

※ここに記載している内容は過去の出題傾向であり，年度によって出題形式・内容は変更される場合があります。

4．注意事項

・試験会場には電車・バス等の公共機関で行きましょう。自動車・バイク等での来場を試験機関は禁止としています。

・第二次検定試験は記述式試験です。HB のシャープペンシルか鉛筆を用いて，丁寧に記入してください。細かい部分を訂正するために，角の尖った消しゴムを数個用意する事をオススメします。

・試験会場は時計のない部屋がほとんどです。時間配分をするために，腕時計を持参してください。試験は計算問題を含む可能性がありますが，電卓や計算・通信・辞書機能を持つ時計の使用は禁止されています。また，携帯電話（スマートフォン等）での時計機能の使用も禁止されています。

・試験開始から1時間で解答用紙を提出し退出が可能となります。施工経験記述に時間を割きすぎると，以降の設問を解答する時間が足りなくなる場合があります。事前にしっかり準備し，時間の配分に注意してください。

・試験の終了時間まで教室に残れば，試験問題を持ち帰ることが可能です。

・試験の正答および配点に関しては一切発表されません。

・第二次検定試験は，総合点で60%以上の正解で合格となります。この試験は受検生同士の競争試験ではなく，施工管理技士として必要な能力の有無を判断する試験です。

※設問1の施工経験記述において，土木工事以外の記述や，指定されたテーマ以外の記述である場合等，合格基準に適合しない場合は，以下の設問が満点でも不合格となることはあります。

・選択問題は，必ず選択した問題のチェックを記載してください。

受検資格

２級土木施工管理技術検定・第一次検定の合格者で，次のいずれかに該当する者

※後期日程で受検する場合は，第１次検定と第２次検定試験を同時に受検することが可能となります。

学歴又は資格	土木施工に関する実務経験年数	
	指定学科	指定学科以外
大学卒業者又は専門学校卒 （高度専門士に限る）	卒業後　１年以上	卒業後　１年６月以上
短期大学卒業者 高等専門学校卒業者 専門学校卒（専門士に限る）	卒業後　２年以上	卒業後　３年以上
高等学校卒業者 中等教育学校卒業者 専門学校卒業者（上記専門士以外）	卒業後　３年以上	卒業後　４年６月以上
その他の者	８年以上	

（注１）上記の実務経験年数については，当該種別の実務経験年数である。

（注２）実務経験年数の算定基準日　上記の実務経験年数は，２級第二次検定の前日（令和４年度に受検する場合；令和４年10月22日）までで計算するものとする。

（注３）上記以外の受検資格の詳細は，一般財団法人 全国研修センターのホームページよりご確認ください。https://www.jctc.jp/exam/doboku-2

本試験対策

施工経験記述

施工経験記述の攻略法

ひげごろーのアドバイス

第二次検定試験では，この施工経験記述が最重要であり，一番受検生を悩ませるポイントとなっています。自身の現場経験を問われるので，事前に準備しておくことが合格をつかみ取る為には重要となってきます！

こんな問題が出題されます！

必須問題

【問題　1】 あなたが経験した土木工事の現場において，工夫した安全管理又は工夫した品質管理のうちから１つ選び，次の〔設問１〕，〔設問２〕に答えなさい。

〔注意〕 あなたが経験した工事でないことが判明した場合は失格となります。

〔設問１〕 あなたが**経験した土木工事**に関し，次の事項について解答欄に明確に記述しなさい。

〔注意〕 「経験した土木工事」は，あなたが工事請負者の技術者の場合は，あなたの所属会社が受注した工事内容について記述してください。従って，あなたの所属会社が二次下請業者の場合は，発注者名は一次下請業者名となります。

なお，あなたの所属が発注機関の場合の発注者名は，所属機関名となります。

(1) **工事名**

(2) **工事の内容**

① **発注者名**

② **工事場所**

③ **工期**

④ **主な工種**

⑤ **施工量**

(3) **工事現場における施工管理上のあなたの立場**

〔設問２〕 上記工事で実施した**「現場で工夫した安全管理」又は「現場で工夫した品質管理」**のいずれかを選び，次の事項について解答欄に具体的に記述しなさい。

ただし，安全管理については，交通誘導員の配置のみに関する記述は除く。

(1) 特に留意した**技術的課題**

(2) 技術的課題を解決するために**検討した項目と検討理由及び検討内容**

(3) 上記検討の結果，**現場で実施した対応処置とその評価**

施工経験記述（記述式解答）全般の注意点

① 試験団体の指定している適当な硬さ（HB）のものを使用し，**ゆっくり丁寧に記述**するように心がけてください。

→第一次検定試験と第二次検定試験の一番の大きな違いは採点を人が行うという点です。読めないような殴り書きでは，**どれだけ内容が優れた記述でも読んでももらえず不合格となる可能性があります。**

② 各記述は，**字の大きさをそろえ適切な分量**で記入してください。解答欄の80％以上は埋まっていないと減点の対象となります。**少なすぎ**，解答欄からはみ出し，**小さい文字で勝手に行数を増やす**ような記述も**減点対象**となります。**所定の欄内に適切に収める能力が求められます。**

※解答欄の行数やサイズは年度によって異なることがあります。事前に準備した文章の長短を調整できるようにしておくのもポイントです。

③ できるだけ**専門用語**を使いましょう。採点者に，**「しっかりとした施工管理の経験がある」**と，思わせるテクニックです。

④ **誤字，脱字，あて字**のないように，特に**専門用語の誤字には注意**をしてください。漢字・数値等を忘れた場合は，**ひらがなで書く**，もしくは**言い回しを変えて記述**してください。※管理値がわからない場合は，**「所定の値で管理する」「許容値内におさまるように施工した」**等のように記述することで，大幅減点を避けるのもテクニックです。（正確な管理値を記入することが望ましいが，誤った数値は大幅減点となります。）

⑤ 工事規模の大小，工法の特殊性を問う試験ではありません。自分の立場で一貫性をもって，簡潔に記述することがポイントです。また，土木工事以外の建築工事・管工事・設備工事等について記入すると不合格となります。

⑥ 工事概要にあげた，工事内容・工期・工事場所等が記述内容と**整合性**が取れた文章となるよう心掛けてください。

⑦ **作業員の立場ではなく**，現場（作業）を**管理する立場**で，元請け，下請けそれぞれの立場からの現場での創意工夫や留意点を記入してください。また，設計監理・監督員等の経験で記述する場合も同様に，それぞれの立場で，どのような施工管理を行ったかを記述します。

⑧ 管理項目は，どれを指定されるかわからないためテーマを絞らず**「工程管理」「品質管理」「安全管理」**の3項目を抑えておくことで，様々な出題パターンに対応することができます。指定されたテーマ以外の記述は不合格となります。

解答用紙レプリカ

A4サイズに拡大コピーをして繰り返し練習に使用してください。

【問題 No.1】 あなたが**経験した土木工事の現場において，工夫した工程管理又は品質管理，（もしくは，安全管理・環境対策）のうちから１つ**選び，次の〔設問１〕，〔設問２〕に答えなさい。

〔設問１〕 あなたが**経験した土木工事**に関し，次の事項について解答欄に明確に記述しなさい。

(1) 工事名

工　事　名	

(2) 工事の内容

①	発注者名	
②	工事現場	
③	工　　期	
④	主な工種	
⑤	施 工 量	

(3) 工事現場における**施工管理上のあなたの立場**

立　　場	

〔設問2〕　上記工事で実施した「現場で工夫した安全管理・工程管理・品質管理・環境対策」のいずれかを選び，次の次項について解答欄に具体的に記述しなさい。
※ 実際の試験では2つテーマが出題され，1つを選んで解答する
ただし，安全管理については，交通誘導員の配置のみに関する記述は除く。

(1)　特に留意した**技術的課題**

(2)　技術的課題を解決するために**検討した項目と検討理由及び検討内容**

(3)　上記検討の結果，**現場で実施した対応処置とその評価**

※ 年度により解答欄の行数や，設問内容が異なる場合があります。
解説は次項の施工経験記述の例をご参照ください。

工事概要記入についての注意点

(1) 工 事 名

原則として，あなたが実際に従事した「工事の名称」を記入します。（工事名は契約工事名にあまりこだわらず，工事の対象(河川名，路線名，施設名等)，工事の場所（地区・地先名等），工事の種類等（護岸工事，舗装工事，基礎工事等）が判るように具体的に記述してください。（単なる「道路工事」，「河川工事」等では不適当）

※土木工事以外の工事種別の工事名を書かないように注意してください。

記述例（○○等には，固有名称を記入）

① 国道○○号□□高架橋下部工工事
② ○○市道□□線××地区舗装工事
③ ××川　河川改修護岸工事　○○工区
④ △△砂防ダム工事（○○地区）
⑤ △△市△△地区排水本管敷設工事

(2)ー① 発注者名

記入した工事における，あなたの会社の注文者を記入します。元請け業者の場合は，工事の発注者を，下請け業者の場合は，直上の注文者となった会社名を記入します。

記述例（○○には，固有名称を記入）

【あなたの会社が元請けの場合】	【あなたの会社が下請けの場合】
国土交通省○○地方整備局○○国道事務所	○○建設（株）
○○県○○土木事務所	（株）○○組
○○市下水道整備局	

※国土交通省，○○県だけではなく，発注した部局等まで詳細を記入します。
下請けの場合は，個人名ではなく会社名を記入してください。

(2)－② 工事場所

実例としてあげる土木工事が行われた場所の都道府県名，市町村名をなるべく詳しく記入します。道路工事の場合は○○交差点～●●交差点や○○ kp（キロポスト）～●●kp，鉄道工事の場合○○駅～●●駅のように工事場所がわかるように記載してください。何も記入がない場合は減点の対象になります。

記述例（○○等には，固有名称・数値を記入）

① ○○県△△市□□町○丁目内
② ○○県△△郡□□町○○地先
③ ○○県△△市□□町 国道○号線○○交差点～●●交差点
④ ○○県△△市□□町○○電鉄○○駅～●●駅　等

※工事場所から地域特有の特性や自然環境，市街環境などが判断されます。施工経験記述の内容との整合性に注意してください。

(2)－③ 工　期

○○年○○月○○日～△△年△△月△△日と，自社が請け負った工事の工期を記入します（下請工事の場合は下請け部分の工期を記入）。西暦でも構いません。

工期は原則として，1か月以上の工事を取り上げること。工事開始（準備期間を含む）から完成（竣工）までの期間を記入します。下請工事の場合であっても，受注してから労務，資機材等の調達の期間（準備期間）を含めて最低1か月以上かかる工事の記述が望ましい。なるべく過去1～5年前程度に完成した工事を取り上げ，現在施工中の工事は避けてください。工期は⑤の施工量，及び施工経験記述の内容（季節・時期）とも関連があるので，整合性がないと減点の対象となることもあるので注意してください。

(2)－④ 主な工種

工事の内容が概ねイメージできるような主要な工種を記入します。極力，施工の順に従った順番で記入します。下請工事の場合は，自社が請負った工事部分に関する工種のみを記入します。施工経験記述に記載する事項に関する工種はここであげておいてください。

記述例

① **道路関係**…道路土工，路盤工，アスファルト舗装工，側溝工
② **橋梁工事関係**…コンクリート工，基礎工，杭基礎工
③ **造成工事関係**…盛土工，切土工，コンクリート擁壁工，整地工，排水工
④ **河川工事関係**…護岸工，築堤工，のり面保護工，浚渫工
⑤ **下水道工事関係**…送水本管敷設工，浄水池設置工，本管敷設工，ポンプ場設置工

※複数の工種がある場合は，主に行ったものを記入してください。また，「受検の手引き」に記載されている土木工事に該当する工種から記入してください。
※この欄には，施工量を記入しません。

(2)－⑤　施工量

「主な工種」に記入した工種に対応するように，構造物の規模，材料の種類や規格，施工数量（立積，重量，本数，延長等）などを具体的にスペース内で記入します。

記述例

① **道路関係**；盛土量350m^3　下層路盤 t＝25cm　上層路盤 t＝15cm　延長50m
② **橋梁工事関係**；コンクリート24N/mm^3　2200m^3　鉄筋300t　型枠2250m^2
③ **造成工事関係**；切土土量6000m^3　盛土土量4600m^3　整地面積1840m^2
④ **河川工事**；護岸工　天端高3.0m，延長240m，根固め工
⑤ **下水工事**；埋設管渠（ϕ500mm，延長80m，マンホール3カ所）
⑥ **仮設工**（足場・土留め支保工一式）

※単位等を忘れずかつ正確に記入してください。また，工期との整合性に注意してください。

(3) 工事現場における施工管理上のあなたの立場

工事現場における受検者自身の立場をより明確に記入します。

記述例

・工事主任　・現場代理人　・主任技術者　・施工監督
・発注者側監督員　・工事監理（設計監理）など

※「代表取締役」「工事部長」のような会社での役職や「作業員」「職人」と記述すると施工管理における経験としては不適切と判断されます。

土木施工管理に関する実務経験として認められる工事種別・工事内容（種別に土木）

工事種別	工事内容
A. 河川工事	1. 築堤工事, 2. 護岸工事, 3. 水制工事, 4. 床止め工事, 5. 取水堰工事, 6. 水門工事, 7. 樋門（樋管）工事, 8. 排水機場工事, 9. 河道掘削（浚渫工事）, 10. 河川維持工事（構造物の補修）
B. 道路工事	1. 道路土工（切土, 路体盛土, 路床盛土）工事, 2. 路床・路盤工事, 3. 法面保護工事, 4. 舗装（アスファルト, コンクリート）工事（※個人宅地内の工事は除く）, 5. 中央分離帯設置工事, 6. ガードレール設置工事, 7. 防護柵工事, 8. 防音壁工事, 9. 道路施設等の排水工事, 10. トンネル工事, 11. カルバート工事, 12. 道路付属物工事, 13. 区画線工事, 14. 道路維持工事（構造物の補修）
C. 海岸工事	1. 海岸堤防工事, 2. 海岸護岸工事, 3. 消波工工事, 4. 離岸堤工事, 5. 突堤工事, 6. 養浜工事, 7. 防潮水門工事
D. 砂防工事	1. 山腹工工事, 2. 堰堤工事, 3. 地すべり防止工事, 4. がけ崩れ防止工事, 5. 雪崩防止工事, 6. 渓流保全（床固め工, 帯工, 護岸工, 水制工, 渓流保護工）工事
E. ダム工事	1. 転流工工事, 2. ダム堤体基礎掘削工事, 3. コンクリートダム築造工事, 4. 基礎処理工事, 5. ロックフィルダム築造工事, 6. 原石採取工事, 7. 骨材製造工事
F. 港湾工事	1. 航路浚渫工事, 2. 防波堤工事, 3. 護岸工事, 4. けい留施設（岸壁, 浮桟橋, 船揚げ場等）工事, 5. 消波ブロック製作・設置工事, 6. 埋立工事
G. 鉄道工事	1. 軌道盛土（切土）工事, 2. 軌道敷設（レール, まくら木, 道床敷砂利）工事（架線工事を除く）, 3. 軌道路盤工事, 4. 軌道横断構造物設置工事, 5. ホーム構築工事, 6. 踏切道設置工事, 7. 高架橋工事, 8. 鉄道トンネル工事, 9. ホームドア設置工事
H. 空港工事	1. 滑走路整地工事, 2. 滑走路舗装（アスファルト, コンクリート）工事, 3. エプロン造成工事, 4. 滑走路排水施設工事, 5. 燃料タンク設置基礎工事
I. 発電・送変電工事	1. 取水堰（新設・改良）工事, 2. 送水路工事, 3. 発電所（変電所）設備コンクリート基礎工事, 4. 発電・送変電鉄塔設置工事, 5. ピット電線路工事, 6. 太陽光発電基礎工事
J. 通信・電気土木工事	1. 通信管路（マンホール・ハンドホール）敷設工事, 2. とう道築造工事, 3. 鉄塔設置工事, 4. 地中配管埋設工事
K. 上水道工事	1. 公道下における配水本管（送水本管）敷設工事, 2. 取水堰（新設・改良）工事, 3. 導水路（新設・改良）工事, 4. 浄水池（沈砂池・ろ過池）設置工事, 5. 浄水池ろ材更生工事, 6. 配水池設置工事
L. 下水道工事	1. 公道下における本管路（下水道・マンホール・汚水桝等）敷設工事, 2. 管路推進工事, 3. ポンプ場設置工事, 4. 終末処理場設置工事

M．土地造成工事	1．切土・盛土工事，2．法面処理工事，3．擁壁工事，4．排水工事，5．調整池工事，6．墓苑（園地）造成工事，7．分譲宅地造成工事，8．集合住宅用地造成工事，9．工場用地造成工事，10．商業施設用地造成工事，11．駐車場整地工事　※個人宅地内の工事は除く
N．農業土木工事	1．圃場整備・整地工事，2．土地改良工事，3．農地造成工事，4．農道整備（改良）工事，5．用排水路（改良）工事，6．用排水施設工事，7．草地造成工事，8．土壌改良工事
O．森林土木工事	1．林道整備（改良）工事，2．擁壁工事，3．法面保護工事，4．谷止工事，5．治山堰堤工事
P．公園工事	1．広場（運動広場）造成工事，2．園路（遊歩道・緑道・自転車道）整備（改良）工事，3．野球場新設工事，4．擁壁工事
Q．地下構造物工事	1．地下横断歩道工事，2．地下駐車場工事，3．共同溝工事，4．電線共同溝工事，5．情報ボックス工事，6．ガス本管埋設工事
R．橋梁工事	1．橋梁上部（桁製作，運搬，架線，床版，舗装）工事，2．橋梁下部（橋台・橋脚）工事，3．橋台・橋脚基礎（杭基礎・ケーソン基礎）工事，4．耐震補強工事，5．橋梁（鋼橋，コンクリート橋，PC橋，斜張橋，つり橋等）工事，6．歩道橋工事
S．トンネル工事	1．山岳トンネル（掘削工，覆工，インバート工，坑門工）工事，2．シールドトンネル工事，3．開削トンネル工事，4．水路トンネル工事
T．土木構造物解体工事	1．橋脚解体工事，2．道路擁壁解体工事，3．大型浄化槽解体工事，4．地下構造物（タンク）等解体工事
U．建築工事（ビル・マンション等）	1．PC杭工事，2．RC杭工事，3．鋼管杭工事，4．場所打ち杭工事，5．PC杭解体工事，6．RC杭解体工事，7．鋼管杭解体工事，8．場所打ち杭解体工事，9．建築物基礎解体後の埋戻し，10．建築物基礎解体後の整地工事（土地造成工事），11．地下構造物解体後の埋戻し，12．地下構造物解体後の整地工事（土地造成工事）
V．個人宅地工事	1．PC杭工事，2．RC杭工事，3．鋼管杭工事，4．場所打ち杭工事，5．PC杭解体工事，6．RC杭解体工事，7．鋼管杭解体工事，8．場所打ち杭解体工事
W．浄化槽工事	1．大型浄化槽設置工事（ビル，マンション，パーキングエリアや工場等大規模な工事）
X．機械等設置工事（コンクリート基礎）	1．タンク設置に伴うコンクリート基礎工事，2．煙突設置に伴うコンクリート基礎工事，3．機械設置に伴うコンクリート基礎工事
Y．鉄管・鉄骨製作	1．橋梁，水門扉の工場での製作
Z．上記に分類できないその他の土木工事	代表的な工事内容を実務経験証明書の工事内容欄に記入してください。

※「解体工事業」は建設業許可業種区分に新たに追加されました。（平成28年6月1日施行）

※解体に係る全ての工事が土木工事として認められる訳ではありません。

※上記道路維持工事（構造物の補修）には，道路標識柱，ガードレール，街路灯，落石防止網等の道路付帯設備塗装工事が含まれます。

土木施工管理に関する実務経験とは認められない工事

実務経験証明書に下表の工事・業務等が記載されている場合は，実務経験としては認められません。

工事種別	工事内容
建築工事 （ビル・マンション等）	躯体工事，仕上工事，基礎工事，杭頭処理工事， 建築基礎としての地盤改良工事（砂ぐい，柱状改良工事等含む） 等
個人宅地内の工事	個人宅地内における以下の工事 造成工事，擁壁工事，地盤改良工事（砂ぐい，柱状改良工事等含む），建屋解体工事，建築工事及び駐車場関連工事，基礎解体後の埋戻し，基礎解体後の整地工事 等
解体工事	建築物建屋解体工事，建築物基礎解体工事 等
上水道工事	敷地内の給水設備等の配管工事 等
下水道工事	敷地内の排水設備等の配管工事 等
浄化槽工事	浄化槽設置工事（個人宅等の小規模な工事） 等
外構工事	フェンス・門扉工事等囲障工事 等
公園（造園）工事	植栽工事，修景工事，遊具設置工事，防球ネット設置工事，墓石等加工設置工事 等
道路工事	路面清掃作業，除草作業，除雪作業，道路標識工場製作，道路標識管理業務 等
河川・ダム工事	除草作業，流木処理作業，塵芥処理作業 等
地質・測量調査	ボーリング工事，さく井工事，埋蔵文化財発掘調査 等
電気工事 通信工事	架線工事，ケーブル引込工事，電柱設置工事，配線工事，電気設備設置工事，変電所建屋工事，発電所建屋工事，基地局建屋工事 等
機械等製作・塗装・据付工事	タンク，煙突，機械等の製作・塗装及び据付工事 等
コンクリート等製造	工場内における生コン製造・管理，アスコン製造・管理，コンクリート2次製品製造・管理 等
鉄管・鉄骨製作	工場での製作 等
建築物及び建築付帯設塗装工事	備階段塗装工事，フェンス等外構設備塗装工事，手すり等塗装工事，鉄骨塗装工事 等
機械及び設備等塗装工事	プラント及びタンク塗装工事，冷却管及び給油管等塗装工事，煙突塗装工事，広告塔塗装工事 等
薬液注入工事	建築工事（ビル・マンション等）における薬液注入工事（建築物基礎補強工事等），個人宅地内の工事における薬液注入工事，不同沈下建造物復元工事 等

※土木工事の施工に直接的に関わらない次のような業務などは認められません。

① 工事着工以前における設計者としての基本設計・実施設計のみの業務
② 測量，調査（点検含む），設計（積算を含む），保守・維持・メンテナンス等の業務
※ただし，施工中の工事測量は認める。
③ 現場事務，営業等の業務
④ 官公庁における行政及び行政指導，研究所，学校（大学院等），訓練所等における研究，教育及び指導等の業務
⑤ アルバイトによる作業員としての経験
⑥ 工程管理，品質管理，安全管理等を含まない雑役務のみの業務，単純な労務作業等
⑦ 単なる土の掘削，コンクリートの打設，建設機械の運転，ゴミ処理等の作業，単に塗料を塗布する作業，単に薬液を注入するだけの作業等

※上記の業務以外でも，その他土木施工管理の実務経験とは認められない業務・作業等は，全て受検できません。

施工経験記述の出題傾向

施工経験記述では，出題された管理項目（出題テーマ）に対して，自身の［工事概要］に関して下記の内容について記述します。

［設問］

(1) **特に留意した技術的課題**

(2) **技術的課題を解決するために検討した項目と検討理由及び検討内容**

(3) **上記検討の結果，現場で実施した対応処置とその評価**

過去に出題された管理項目（出題テーマ）は次のとおりです。

「工程管理」「品質管理」「安全管理」「環境対策（施工計画）」の4つのテーマから2つのテーマが出題され，1つのテーマを選択し解答します。

出題一覧表

	工程管理	品質管理	安全管理	環境保全
令和5年度	○		○	
令和4年度	○	○		
令和3年度		○	○	
令和2年度	○		○	
令和元年度	○	○		
平成30年度		○	○	
平成29年度	○		○	
平成28年度		○	○	
平成27年度	○	○		
平成26年度	○		○	
平成25年度		○	○	
平成24年度		○		○

令和6年度以降の土木施工管理技術検定試験問題の見直しについて

第二次検定： 受検者の経験に基づく解答を求める設問に関し，自身の経験に基づかない解答を防ぐ観点から，1 級と 2 級の第二次検定においては幅広い視点から経験を確認する設問として見直しを行う。

試験実施団体から上記のとおりの「見直しについて」の告示がなされました。明確な出題内容に関する発表はないため，多角的に，幅広く準備をしておく必要があります。
以下に記載しているのは，あくまで公に発表されている情報からの予想であり，ここに記載されている通り出題されると確定している内容ではありません。

○ 条件が出題者から与えられる新パターン

・出題者から，施工箇所や施工条件などの現場状況が指定され，その状況下において，「あなたの経験にある工事」を実施する上での施工上の留意事項を記述する。
　例）　①施工箇所（市街地，住宅街，山間部）②施工条件（夏季，冬季，雨季）
※　コンクリート工事や土工事のように代表的な工種を指定される可能性もあります。
・施工を行っている図や，施工条件が与えられた上で，「この現場における工程，品質，安全に関する留意事項を記述してください。」
・ある事故の事例から，「同様の事故を防止するために，事前に現場ではどのような対策を行うことで，事故発生の可能性を下げることができたか記述してください。」

○ 現行通りの施工経験述に加えて，細かく現場の内容を記述（状況を指定しての記述）

品質管理⇒　施工の前・中・後での留意事項，検査・試験の名称及び方法，使用した材料（保管上の留意事項），作業員に対する指導の方法，
工程管理⇒　使用した工程表，工種別の人員数（歩掛り）等
安全管理⇒　作業に伴い使用した建設機械・工具等

○ その他新項目に関する記述

環境対策（騒音・振動・粉塵対策等），出来形管理，請負金額，工事に必要な届出書類（届出先）等

○ 現場では行われている日々の業務や活動に関する記述

今まで経験した現場において下記の事項について具体的に記述してください。

①「実際にあった，ヒヤリハットの事例その後どのように改善したか記述して下さい」
②「日々の朝礼で安全上，意識していることは何ですか」
③「作業日報に記載している内容や項目について具体的に記述して下さい」
④「現場管理者として行わなければならない，作業開始までの準備には何がありますか」
⑤「品質管理上行う，写真撮影を行う上での留意事項について記述して下さい」
⑥「材料受入時の留意事項について記述して下さい」

施工経験記述の書き方

施工経験記述では，3つの問題が出されます。

(1) **特に留意した技術的課題**

(2) **技術的課題を解決するために検討した項目と検討理由及び検討内容**

(3) **上記検討の結果，現場で実施した対応処置とその評価**

この3つの問題は「工程管理」「品質管理」「安全管理」どのテーマでも共通です。
※年度により多少，設問方法が変わる場合があります。

(1) 特に留意した技術的課題

ここでは，工事概要について簡単にまとめ，その現場特有の環境や気候，地形，地質，施工方法などによって発生する課題を記入していきます。

(2～3行)

本工事は［場所］における，［数量］の［工事内容］工事である。

(2～3行) 課題の原因となる現場条件

⇒地形，地質，立地，交通状況，施工条件，季節（気候，天候），労務状況…等

(2～3行)「テーマ上」，［　　］が技術的課題となった。

［記入のコツ］
・現場概要
・ネタフリ
※検討したこと，実施したことをここで記入しない。

【記述例】

(1) 特に留意した技術的課題

本工事は○○○○地区における，切土量○○ m^3，盛土量○○ m^3 の△△△団地建設に伴う○○○ m^2 の造成工事である。6月～12月の施工で梅雨の長雨，急な豪雨が懸念される時期での施工であった。団地建設後，構造物の不同沈下を防止するためには，堅固な盛土を築造しなければならない。そのためには，本工事では支持力の確保，適切な雨水の排水，施工時のトラフィカビリティの確保が技術的課題となった。

最初の**2～3行で工事の施工箇所・施工内容を簡単にまとめます**。

△△工事には**工事概要にあげた工事（道路工事や造成工事，下部工工事，擁壁工事等）**が入ってきます。**メインの工種の施工数量**も合わせてここに記入します。**技術的課題に関係してくる工種については必ず記載**しておくこと。

次に，技術的課題につながる現場特有の条件を記載します。上記の記述例の場合は雨期の工事における品質管理についての技術的課題になります。他には，「(テーマ；安全）見通しの悪い片側1車線での…」「(テーマ；工程）市街地で交通渋滞の多く発生する箇所で…」「(テーマ；品質）山間部で湧水が多く…」などがあります。

そして，これらの条件が原因で発生する技術的課題をあげていきます。記述例のように①②③…と，箇条書きで記入する方法と，文章で課題をいくつか記入しまとめる方法があります。空欄が多すぎると減点となるため，空欄が多くなる場合には箇条書きにし，空欄を減らすのが減点されずに行数を稼ぐコツです。記述する内容量によって使い分けてください。

ここでは，**現場の状況と工事概要および，技術的課題のみを記入**します。検討内容や，実施した対応処置は後で記入するため，ここに記入してはいけません。

この試験は土木施工にかかわるものですから，**「土木工事」以外の工事**（例えば，建築工事，管工事および電気工事など）の施工経験と判断された場合は，他の問題が合格点に達していても**不合格となります**。

工事受注（施工開始）から完成までのことを記述してください。工事が終わって，しばらく経過してから発見された不具合な施工に対する手直し（契約不適合；瑕疵があった場合）のような内容や工事が発注される前の設計上の記述は不適当とされます。

(2) 技術的課題を解決するために検討した項目と検討理由及び検討内容

ここでは，上記にあげた「技術的課題を解決するための準備」に「どのような事項が必要」か，「課題を解決」するためには「どのような注意が必要か」などを記入していきます。

この欄を埋めるのが難しい場合は，(3)の実施した内容を先に決定し，そのためには「何が必要か」を考えた方が分かりやすい場合もあります。

ここでは最終的には実施した内容を記入するのではなく，実施をするにあたって，確認（調査・検査等）や準備として行った事項をあげてください。

① 不具合や問題が発生する理由 のため○○○○を検討した。

② 不具合や問題が発生する理由 のため□□□□を検討した。

③ 不具合や問題が発生する理由 のため××××を検討した。

各2～3行で3つ程度の項目に分けて記入

［項目分けの例］

品質⇒計画，材料，準備，施工，養生，検査，作業員…

工程⇒材料，作業員，使用機械，工程表，施工方法（作業の効率化），気温（接着剤の硬化速度），創意工夫…

安全⇒点検・確認，安全措置，作業員，安全施工サイクル…

［記入のコツ］
(3)を実施するために事前に何に着眼し，準備・検討したことを3つ程度記入
プラスそれぞれの項目について検討した理由や内容を記入
※ここでは実施したことを記入しない

(3) 上記検討の結果，現場で実施した対応処置とその評価

ここでは，**課題解決のために○○○○を実施し，その結果どのような結果が得られたかを記入します**。工程管理の場合→「工期内に作業を終えることができた」／品質管理の場合→「所定の品質を確保することができた」／安全管理の場合→「安全に作業を終えることができた」…のように，「○○○を実施した」その結果，○○することができた…と，それぞれのテーマの課題がクリアできたという**評価を記入**して，記述を締めくくります。

① 実施した内容を具体的に（数値・結果等）記入

② 実施した内容を具体的に（数値・結果等）記入

③ 実施した内容を具体的に（数値・結果等）記入

(2)の検討内容に対応するように，項目ごとに各2～3行で実施した内容を具体的に記入する

上記の項目を実施した結果○○となった（1～2行）

［記入のコツ］
・ネタフリした事項をここで回収する。
・まとめ（評価）工程，品質，安全それぞれ，ネタフリであげた技術的課題が解決することが出来た旨を最後に記入する。

本書に記載している施工経験記述はあくまで一例です。例文やテンプレートを参考に自身の経験した工事に置き換え，オリジナルの文章を作り上げて下さい。

※検討項目・検討理由・内容の記述例は次項で，テーマ毎に記述例で解説を行います。

減点される文章の共通点

・文字が乱雑で読めない。
・文字サイズが揃っていない（解答欄から文字がはみ出すぐらい大きい文字で書かれている）
・空欄が多い（8割以上を目標に記入する）
・行数を稼ぐために，文頭や文末，文章の間にスペースや無記入の行が挿入されている。
・改行のタイミングがおかしい(行の最後に空欄を開けて改行されている)
・テーマからずれた，不要な内容の詳細に文字数を割いている。
→特殊な工事を記入したら点数が加点されるわけではありません。適切に施工管理が行われているかをみるための試験です。
・何が言いたいかわからない
→本人は，現場をイメージして記入しているが，採点者はここに記入された文章のみでしか判断できません。現場がイメージしやすい端的に説明し，シンプルに記入してください。

テーマ別留意事項（品質管理）

書き方の手引き（品質管理）

工事内容	気象・環境・地形地質など現場の特有の状況	左記が原因となって発生する技術的課題	問題解決のための検討項目（理由・内容）	現場で実施した対応・処置
土工事（造成工事・道路工事等）	・梅雨，台風，夕立等大雨など急な豪雨 ・谷部を埋め立てた造成のため雨水・湧水がたまりやすい	・施工中の雨水・湧水の処理 ・トラフィカビリティの確保 ・盛土地盤の安定性の低下防止，支持力の確保	・含水比低下のための工夫（雨水浸透防止対策・排水計画等） ・材料・工法の選定，検査方法についての検討	・仕上がり面に排水勾配＋仮排水溝を設置しトラフィカビリティを確保 ・雨水の侵入による強度低下を防止 ・RI 測定器にて，締固め度90%以上を確認 ※道路土工95%以上，盛土箇所・土質によって90～95%程度で，規定値が異なる場合があります。
	現場の土質が 高含水比の粘性土	・施工中の雨水・湧水の処理 ・トラフィカビリティの確保 ・盛土地盤の安定性の低下防止，支持力の確保	・改良剤の添付量の確認方法・使用機械の選定 ・含水比低下のための工夫（雨水浸透防止対策・排水計画等）	
杭工事	現場の土質が 軟弱地盤	・確実な施工の実施 ・不同沈下の防止	・設計図書と現場に相違がないか確認方法 ・作業員への周知方法 [施工不良は構造物の品質(沈下)に直結するため]	・設置箇所の地層(地下水)を確認 ・支持層の確認（支持杭） ・作業計画書をもとに打ち合わせを行い，作業手順を周知徹底
コンクリート工事（橋脚・ダム・堤防・共同溝等）	夏季のコンクリート打設（日平均気温25度以上）	・コールドジョイントの発生 ・スランプロスによるワーカビリティーの低下 ・打設後の水分の逸散	・配合（混和剤等）の使用についての検討 ・作業員への周知方法（施工手順・人員の配置等の確認） ・養生方法の検討	・混和剤に遅延型減水材の使用，練り混ぜ水に冷却水を使用 ・コンクリート打設計画書を作成 →作業員の配置等周知徹底 ・シートで覆いをかけ直射日光を防ぐ ・打ち重ね時間の管理に留意 ・塗膜養生材を散布し，水分の逸散を防止
	冬季のコンクリート打設（日平均気温4度以下）	・初期凍結の防止 ・凍害による強度低下		・型枠内，鉄筋の除雪（シート等による養生） ・促進型 AE 材を使用，練り混ぜ水に温水を使用 ・給熱養生の実施（ジェットヒーター等），保温養生（打設箇所をシートで覆う等）

	市街地の渋滞，もしくは山間部（現場までの運搬時間がかかる）	・コンクリートの到着時間の遅れによる品質低下の恐れ	・コンクリート工場の選定 ・運搬ルートの選定 ・混和剤の使用 ・スランプの設定等	・打設時間帯の工場から現場までの到着時間の調査，経路の設定 ・混和剤に遅延型減水材の使用 ・運搬台数の調整
舗装工事	冬季の夜間，施工時（気温が5℃を下回る場合）	・温度低下に伴うアスファルトの品質低下（温度管理）	・工場出荷時および到着時のアスファルトの下限温度について ・運搬時の温度低下防止対策について ・ヘアクラックへの注意	・温度低下を見込み出荷時アスファルト温度を設定した ・運搬中は2重シートがけとし，到着時の温度を測定した。（110℃以上の確認） ・走行速度の調節，および目視でヘアクラックの確認を行った。
浚渫工事	・潮位の変動 ・大雨や船舶の航行による汚泥の影響	計画河床高の確保	・潮位の確認と掘削時の対応（掘削深度の確認方法） ・掘削機械の選定および作業の安定性確保	・5分毎に潮位計測を行い，バックホウのアームに目盛りを記入する。 ・小型バックホウ浚渫船を使用する。また，バラストを使用し，振れを抑制。
上・下水道工事	大型車両の通行による地盤沈下	・上部荷重に耐えられる支持力の確保 ・配管継手の水密性の確保	・使用材料（材料の購入） ・継手の締付けの確認 ・漏水の確認方法	・良質土を購入して入念に締固める＋締固め度の確認 ・継手ボルトの締付けトルク値の確認 ・石けん水による発砲テストを行い水密性の確認

施工経験記述（テーマ；品質）では，土木工事の現場で日々行っている品質管理を，いかに採点者に「この受検生は，しっかりとした施工管理を行った経験がある」と，アピールできるかがポイントとなります。

いきなり解答用紙に文章としてまとめようとすると，何から書き出していいかわからず手が止まってしまいがちです。上記の表にまとめてある「書き方の手引き（品質管理）」を参考に，現場固有の特殊性（気象・環境・地形・地質）などに対する技術的課題を箇条書きにリストアップしてみましょう，そこから，徐々に文章にまとめていくのが近道です。

本書では，受検生の中でも経験が多いと予想される「**土工事**」「**コンクリート工事**」「**舗装工事**」について例文を記載しています。これらの例文を基に，自身の経験に合わせた経験記述を作成してください。

記述例に記載がない工事も，開削や盛土（埋戻し）がある工事であれば土工事で，ダムや現場打ちのボックスカルバート，排水工事等，コンクリートを使用する工事はすべてコンクリート工事の例文を参考にして記述することができます。

施工経験記述（品質管理；土工事）

[特に留意した技術的課題]

前項でも説明しましたが，ここでは現場特有の課題・問題点に対して，品質を確保するためにどのようなことを行ったかを記入していきます。

土工事では最終的な仕上がり地盤の**支持力の確保**（規定値以上の現場密度の確保）が施工の目的となります。では，現場特有の課題・問題点としては何があるか箇条書きにしていきましょう。

現場特有の課題・問題点（例）

- **施工時期が雨季（梅雨，台風，夕立の多い夏季）**
- **谷状地形，地山との接続部等で水が溜まりやすい**
- **湧水量が多い**
- **土質が細粒土（粘性土）地盤**

などがあげられます。これらの中から実際の現場に合うものをピックアップします。

次に，「これらの問題点をクリアして品質を確保するためにどうするか」という順序で記述をまとめていきます。

(1) 特に留意した技術的課題

本工事は○○○○地区における，切土量○○ m^3，盛土量○○ m^3 の△△△団地建設に伴う○○○ m^2 の造成工事である。6月～12月の施工で梅雨の長雨，急な豪雨が懸念される時期での施工であった。団地建設後，構造物の不同沈下を防止するためには，堅固な盛土を築造しなければならない。そのためには，本工事では支持力の確保，適切な雨水の排水，施工時のトラフィカビリティの確保が技術的課題となった。

[技術的課題を解決するために検討した項目と検討理由及び検討内容]

次に，課題を解決するために，どのようなことを検討したかについて記述します。ここの考え方のポイントとしては**「使用材料」「施工機械・施工方法」「養**

生」について分けて考えると答えが導きやすくなります。

また，この項目の［検討理由及び検討内容］と次項の［上記検討の結果，現場で実施した対応処置とその評価］の記述内容が重複してしまいがちです。この項目に何を書けばいいのか手が止まってしまう場合は，(3)の［上記検討の結果，現場で実施した対応処置とその評価］から先に記述し，「そのためには何の検討が必要なのか」という順序で記入した方がスムーズに書き進められます。

(2) 技術的課題を解決するために検討した項目と検討理由及び検討内容

所定の品質を確保するために，以下の項目について検討した。

① 雨水の浸透によって，トラフィカビリティの低下，および，支持力低下の恐れがあったため，雨水の排水方法について検討した。

② 切土法面が降雨により浸食され，雨水の浸透により法面崩壊等の恐れがあったため，法面の保護方法について検討した。

③ 巻き出し厚さが過大となると盛土の沈下につながるため，1層の巻き出し厚さを作業員に対して明示する方法を検討した。

④ 各層ごとに迅速に所定の締固め度を確認するための検査方法について検討した。

［上記検討の結果，現場で実施した対応処置とその評価］

先ほどあげた，検討事項を基に，最終的に技術的課題にどう対応処置し，その結果どうなったかを記入します。

(3) 上記検討の結果，現場で実施した対応処置とその評価

① 盛土は仕上がり面に3～5％程度の排水勾配を設け，雨水が溜まらないよう留意し，トラフィカビリティを確保した。

② 切土法面には，ビニールシート・土のうにより切土部への水の浸透を防止し，また，法肩・小段に仮排水を設けた。

③ 40cm角の木製の箱を複数設け，施工面に設置し巻き出し厚の目安とすることで，1層の仕上がり厚さ30cmを遵守させた。

④ RI計器を用い，各層毎に締固め度を測定し，90％以上であることを確認しながら施工をすすめた。

以上の対策を実施し，所定の品質を確保することが出来た。

※この文章はあくまで一例です。そのまま覚えるのではなく，自身の経験した工事に置き換え，字数が収まるように，まとめなおしてください。

施工経験記述（品質管理；コンクリート工事）

[特に留意した技術的課題]

コンクリート工事において，品質を確保する上で課題となるポイントは**「施工時期（気温）」**です。コンクリート構造物を構築する上で，**密実なコンクリートを打設**し，**所定の強度を確保**することは，施工時期（気温）に関係なく求められます。現場特有の環境的課題として夏季の場合と，冬季の場合のコンクリート打設が，コンクリート工事において，不具合が生じやすい特殊な状況のため，施工上の管理ポイントが多く，施工経験記述としては記述しやすいテーマとなります。

現場特有の課題・問題点（例）

- **日平均気温が25度を超える夏季の施工の場合**→コールドジョイントの防止
- **日平均気温が４度以下となる寒中の施工の場合**→初期凍結の防止

実際の工事の施工時期に合わせて，このどちらかを記述の主題として盛り込むことで，その現場に即した施工経験記述となります。コンクリートを用いた工事を経験されている場合は，必ずこれらの対策は行っているはずです。

［記入例］

(1) 特に留意した技術的課題

本工事は△△地域における○○自動車道の新設に伴い，高さ4m・幅12m・延長30mのRCボックスカルバート4基を築造する工事である。コンクリート打設時期が7月～10月で，日平均気温が25度を超える日があり暑中コンクリートとなるため，密実なコンクリートを打設し所定の強度を確保するためには，スランプロスによる作業性の低下防止，コールドジョイント対策，乾燥収縮ひび割れの防止が技術的課題となった。

[技術的課題を解決するために検討した項目と検討理由及び検討内容]

コンクリート工事の場合は，**「使用材料（配合・運搬）」「施工方法（人員配置・打設準備）」「養生」**について分けて考えると答えが導きやすくなります。

また，この項目の［検討理由及び検討内容］と次項の［上記検討の結果，現場で実施した対応処置とその評価］の記述内容が重複してしまいがちなので，実施したことと分けて考えていきましょう。

(2) 技術的課題を解決するために検討した項目と検討理由及び検討内容

品質確保について，以下の項目について検討した。

① ワーカビリティの向上と，コンクリート温度の抑制のために配合，および混和剤の使用について検討した。

② 直射日光や高温による，コンクリートの品質低下を防止するための方法について検討した。

③ 作業手順や適切な人員配置によって，品質が大きく左右するため，作業手順等の周知方法について検討した。

④ 通常の湿潤養生のみでは，乾燥ひび割れ発生のおそれがあるため，打設後の養生方法について検討した。

[上記検討の結果，現場で実施した対応処置とその評価]

先ほどあげた，検討事項を基に，最終的に技術的課題にどう対応処置し，その結果どうなったかを記入します。

(3) 上記検討の結果，現場で実施した対応処置とその評価

① コンクリート温度上昇を防ぐため，練混ぜ水の冷水使用，および遅延形 AE 剤の使用をコンクリート工場に指定した。

② 打設前に型枠を湿潤状態にし，上部にシートを張り直射日光による温度上昇と乾燥を緩和させた。

③ コンクリート打設計画書を作成し，人員配置や作業手順（夏季の許容打ち重ね時間間隔120分等）について周知した。

④ 打設後は，膜養生剤を散布し水分の散逸を防止した。

以上の結果，コールドジョイントや乾燥ひび割れのない，所定の強度を確保した密実なコンクリートを得ることができた。

※③では「コンクリート打設計画書を作成し…」と記載していますが，これは「元請けの立場の場合」の記述となっています。下請けとして工事管理を行っている場合は「元請けの作成した，コンクリート打設計画書を基に…」のように，それぞれの立場に合わせた記述に変更してください。

また，ここでは夏季の暑中コンクリートの場合の記述例をあげましたが，**冬季の場合**は，以下の文書を参考に，記述してください。

・**配合について**→初期凍害防止のため，練り混ぜ水の温水の使用，粗骨材の加熱を指示した。

・**混和剤について**→耐凍害性のある AE 減水材を使用した。

・**施工手順について**→打設箇所周囲をブルーシートで覆い，風雪による温度低下を防止した。

・**養生方法について**→初期凍害防止のため，ジェットヒーターを用いた給熱養生を実施した。

これらの結果，「所定の強度を確保し，品質を確保することができた」等，夏季のコンクリートと同様に，記述を締めくくります。

施工経験記述（品質管理；舗装工事）

[特に留意した技術的課題]

舗装工事において，品質を確保する上で課題となるポイントは**「施工時期(気温)」**です。特に冬季の温度管理は，不具合が生じやすい特殊な状況のため施工上の管理ポイントが多く，施工経験記述としては記述しやすいテーマとなります。

現場特有の課題・問題点（例）

- **アスファルト混合物の温度低下防止対策**
- **施工時の温度管理**

これが，舗装工事では最重要の管理項目となります。後は，作業手順の周知徹底や，品質確認のための検査等について記述します。

［記入例］

(1) 特に留意した技術的課題

本工事は，○○における水道管敷設工事に伴う，延長○○○ｍの道路土工及びアスファルト舗装工事である。厳冬期の施工で，施工時の気温が5度を下回る恐れがあった。仕上がり品質を確保するためには，以下の事項が技術的課題となった。

① アスファルト混合物の温度低下防止対策

② 施工時の温度管理

③ 作業員への施工計画の周知徹底

[技術的課題を解決するために検討した項目と検討理由及び検討内容]

舗装工事の場合は，**「使用材料（配合・出荷温度）」「運搬時の温度管理」「施工方法（人員配置・舗設準備）」**について分けて考えると答えが導きやすくなります。

また，この項目の［検討理由及び検討内容］と次項の［上記検討の結果，現場で実施した対応処置とその評価］の記述内容が重複してしまいがちなので，実施したことと分けて考えていきましょう。

⑵　技術的課題を解決するために検討した項目と検討理由及び検討内容

①　ダンプトラックの運搬・待機時間が長くなると，アスファルト混合物の温度低下し，品質低下の恐れがあるため，運搬時の温度低下対策について検討した。

②　施工中もアスファルト温度は低下による，品質低下の恐れがあったため，合材敷均し時の温度低下を防止できる対策について検討した。

③　適切な作業手順，作業方法は舗装の仕上がりを大きく左右するため，関係作業員への施工方法の周知徹底する方法について検討した。

［上記検討の結果，現場で実施した対応処置とその評価］

先ほどあげた，検討事項を基に，最終的に技術的課題にどう対応処置し，その結果どうなったかを記入します。

⑶　上記検討の結果，現場で実施した対応処置とその評価

①　運搬車の荷台に養生シートを2枚重ねて，その上からビニール製の特殊保温シートを使用するよう指示し，保温性を向上させた。また，敷均し時には，アスファルト温度110℃以上の確認を行った。

②　敷均し作業時に，アスファルトフィニッシャーのスクリード温度を130℃に設定し，加熱することで温度低下を防止した。

③　元請けの作成した作業手順書を基に，事前に入念な打ち合わせを行い，作業手順・人員の配置について周知徹底を行った。作業時は作業手順書通り作業が行えているか現場を巡視・確認を行った。

以上の措置により，所定の品質を確保することができた。

テーマ別留意事項（工程管理）

工程管理では，**「現場特有の問題によって工事が遅れた場合→その遅れを取り戻すための方法」「現場特有の問題によって工事が遅れる可能性がある場合→遅れないように施工をすすめるための予防策」「工期を守って工事を進めるために留意したこと」**などに伴って発生する技術的課題について記述していきます。工程管理の記述方法は工種を絞らず，工事全般で使用できるポイントを解説していきます。

特に留意した技術的課題

まずは，工事が遅延する可能性のある現場固有の特殊性（気象・環境・地形・地質）を箇条書きにあげていきます。

現場固有の特殊性（例）

- **梅雨時期，台風，大雨等により作業の遅れの発生。**
- **施工区間が長く，各工種の時間短縮が必要。**
- **材料の搬入の遅れにより作業の遅れが発生。**
- **市街地の工事で，作業時間に制限があり，工期に遅れが発生。**
- **想定していた以上の，地質・湧水・流量等があり，工事を進めるのに遅れが生じた。**
- **設計変更があり，工期短縮が必要となった。**

［記入例］

土工事の場合

梅雨時期の工事で，梅雨と夏の急な豪雨なども予想され，作業をスムーズに行うために雨水の処理・トラフィカビリティの確保，および工期内完成のため各作業の工程の短縮が課題となった。

コンクリート工事の場合

橋脚下部工10基と，施工箇所複数あり，土工事・鉄筋工事・型枠工事・コンクリート工事の繰り返し作業となり，各工種の工期短縮および取り合い調整が工期内完成のための課題となった。

道路工事の場合

交通量の多い市街地での道路を規制しての工事のため，日々の施工時間に規制があり，作業時間が限定されており，工期内完成のため各作業の効率化と，各工種の調整が課題となった。

工事全般

【設計変更／材料の搬入の遅れ等】のため，工事に〇〇日の遅れが生じ，工期内完成のため各作業の工程の短縮が課題となった。

上記のように，現場特有の環境や状況的課題をもりこみ，「工事の遅れをとりもどすため，○○が課題となった」もしくは「工期内完成のため○○が課題となった」のようにまとめます。

技術的課題を解決するために検討した項目と検討理由・内容および現場で実施した対応処置

検討内容及び実施した対応処置としては，**「施工量の増加」「工事の遅延及び残施工量の把握（フォローアップ）」「工事の効率化」「創意工夫による作業の短縮」**などが一般的な工程管理の方法となります。

「施工量の増加」

…作業班の増員，使用機械の数量や規格を大きいものとする

「工事の遅延及び残施工量の把握（フォローアップ）」

…歩掛りの確認，バナナ曲線の作成による進捗管理および遅延の把握，ネットワーク工程表によるクリティカルパスの確認等を実施し，工程表を再計画

「工事の効率化」

…排水計画の見直し・鉄板の敷設等による，トラフィカビリティの向上による作業性の向上

他作業との作業箇所の調整（先行作業可能箇所の調整等）

「創意工夫による作業の短縮」

…大版の型枠の使用，特殊工法による足場の使用等

［現場で実施した対応処置とその評価］と［技術的課題を解決するために検討した項目と検討理由及び検討内容］が混同してしまいがちなので，実施した対応処置を行うための準備，検討した内容をさかのぼって，記述を整理していきましょう。

上記のような対策を組み合わせ実施した結果「工期内に工事を完成することができた」「○○日の工期短縮となり工期内に工事を完成することができた」のように，工期内に工事を終えることができたと記述を締めます。

施工経験記述例（工程管理；土工事）

⑴　特に留意した技術的課題

本工事は，○○○○団地の建設用地確保のための山林○○○○ m^2 における，盛土量○○○ m^3，切土量○○○ m^3 の造成工事であった。

梅雨時期の工事で，先行工程である伐採工程に遅れが生じた。その後の施工においても，梅雨と夏の急な豪雨なども予想され，作業の遅延が予想された。作業を円滑にすすめ，工期内に工事をすすめるためには，雨水の処理を適切に行い，施工中のトラフィカビリティの確保，および効率的な作業の進行が技術的課題となった。

⑵　技術的課題を解決するために検討した項目と検討理由及び検討内容作業の遅延を防止するため，以下の項目について検討した。

工期内に工事を終わらせるために以下の項目について検討した。

①　作業をスムーズに進めるためにはトラフィカビリティを確保しなければならないが，設計上配置されている排水だけでは，施工時発生が予想される雨水の排水には十分ではない可能性があるため，仮排水溝設置の計画を検討した。

②　切土量，盛土量を増やし，バランスよく施工を実施するため，施工機械の増台・選定，および，人員の増加の検討を行った。

③　当初工程では，遅延が発生し，工期内に作業を終えるためにはフォローアップが必要となったため，工程表の見直しについて検討した。

⑶　上記検討の結果，現場で実施した対応処置とその評価

①　各層ごとの仕上がり面に，排水勾配を設け，施工面の排水を行った。また，仮排水溝を設置し，トラフィカビリティを確保することで，スムーズに作業を進めることができた。

②　切土・盛土箇所ともに，建設機械の台数・人員を増やし，施工量を増やすことで，工期を短縮させた。

③　各作業の終了毎に歩掛りを確認，バナナ曲線を用いて進捗管理，また随時ネットワーク工程表を用いて遅延作業へのフォローアップを行った。以上の処置を行うことで，先行工程の遅れを取り戻し，工期内に工事を終えることができた。

施工経験記述例（工程管理；コンクリート工事）

⑴　特に留意した技術的課題

本工事は国道〇〇号線，△△バイパスの立体交差化に伴う，掘削土量6000 m^3・埋戻し4600 m^3・コンクリート量2200 m^3・鉄筋300t・型枠2250 m^2 のRC橋脚10基の下部工工事である。

施工箇所が複数あり，土工事・鉄筋工事・型枠工事・コンクリート工事の繰り返し作業となる。そのため，手持ちなく作業を連続的に実施し，工期内に工事を完成させるためには，各工種の工期短縮および，各工種の取り合い調整が技術的課題となった。

⑵　技術的課題を解決するために検討した項目と検討理由及び検討内容

工期内に工事を完了するため，次の事項について検討した。

①　クリティカルパスの選定と各工種の取り合いについて

複数の施工箇所における複数の業種による繰り返し作業は，重点管理工種の把握と，各工種の取り合い調整が適切でないと遅延につながるため。

②　１日当たりの施工量の調整について

特定の工種の遅れが，全体工程の遅れにつながるため。

③　大版の型枠の使用について

大版型枠を仮置きする作業ヤードの確保，側圧の計算，クレーンの定格荷重の確認，建込手順等について検討した。

⑶　上記検討の結果，現場で実施した対応処置とその評価

①　ネットワーク工程表を作成し，クリティカルパスとなる作業を重点管理し，下請け業者にはバーチャート工程表を用い，入念に打ち合わせを行い，作業の開始・終了のタイミングを調整した。

②　各工種の取り合いで，遅れが見込まれた鉄筋工は2班体制から3班体制とすることで，手待ちなくスムーズに作業が進行した。

③　橋脚の両側面・底板の型枠を大版型枠とし，2セット作製し，セット毎に転用することで，型枠の組みばらしが一括となり工期を大幅に短縮することができた。

以上の対策を行うことで，工期内に工事を完成することができた。

施工経験記述例（工程管理；舗装工事）

⑴　特に留意した技術的課題

⑴　特に留意した技術的課題

本工事は，○○における下水道管更新工事に伴う，延長△△m のアスファルト舗装復旧工事である。交通規制しての工事で，所定の時間内に道路を開放する必要があり，作業可能時間は限定されており日々の工程管理上，下記の事項が技術的課題となった。

①　作業人員の調整

②　スムーズな作業進行

③　作業員への工期遵守の意識づけ

⑵　技術的課題を解決するために検討した項目と検討理由及び検討内容

日々の交通開放時間を厳守するために以下の項目について検討した。

①　作業人員・使用機械が不足していると，必要な施工量を確保できないため，適切な人員および機械の配置について検討した。

②　規制範囲内で重機の入れ替えや，アスファルト混合物のトラックの 搬入待ちが出来ない場合は，現場の作業を止める時間ができてしまうため，スムーズに作業を進行できる方法について検討した。

③　作業員への作業手順・人員の配置について周知することにより，円滑に作業が進行させることができるため，作業員への施工方法の周知方法について検討した。

⑶　上記検討の結果，現場で実施した対応処置とその評価

①　過去の類似工事や，日々の作業の進行状況を確認して，適切な作業員数・使用機械の台数の調整を行った。

②　作業箇所の近隣に空き地を確保し待機所とすることで無駄な手待ちを省き，円滑に作業を進めることが出来た。

③　元請けの作成した作業手順書を基に，作業手順の周知徹底を行った。また，休憩所に作業日ごとのタイムスケジュールを張り出し，時間管理を行い，作業員への開放時間までの作業段取りの意識づけを徹底した。

以上の措置により，開放時間を厳守し工事を進めることができた。

テーマ別留意事項（安全管理）

安全管理を記述する上でのポイントは，**現場で発生する労働災害・第三者災害（公衆災害）の防止**です。

まずは，現場で発生しうる労働災害及び第三者災害にどのようなものがあるかを考えてみましょう。次に労働災害（第三者災害）を防止するために実際の現場で行っていることを，現場特有の問題点と合わせて，系統立ててまとめていきます。

特に留意した技術的課題

現場で発生しうる災害（事故）

- **高所作業での転落・墜落事故**
- **材料や工具等の飛散・落下事故**
- **重機との接触事故**
- **熱中症の発生**
- **第三者災害（道路工事などにおける交通事故，歩行者と重機の接触事故等）**

こうやって例を上げると，現場で安全管理として実施している事項が思い浮かぶのではないでしょうか。では，これらの災害（事故）防止するための現場特有の技術的課題をあげていきます。

発生しうる労働災害	現場特有の状況と課題【例】
高所作業での転落・墜落事故	高さ○ m の橋脚下部工工事であったため，高所からの転落・墜落事故防止が技術的課題となった。
材料や工具等の飛散・落下事故	公道に張り出した吊り足場を設置しての，橋梁工事のため，足場からの材料や工具等の飛散・落下事故防止が技術的課題となった。
重機との接触事故	○○ m^2の大規模な造成工事で，複数の重機と手元作業員が混在作業のため，重機との接触事故防止が技術的課題となった。
熱中症の発生 （体調不良による事故）	夏季のコンクリート打設工事で，労働者の熱中症の防止が技術的課題となった。
第三者災害（道路工事などにおける交通事故）	交通量の多い，国道沿いの○○工事で，一般車両および第三者との接触事故防止が技術的課題となった。

※解答欄の行数が埋まらない場合は，現場の状況を詳しく説明するか，起こりうる災害(事故）を2項目以上を合わせて記入します。

技術的課題を解決するために検討した項目と検討理由・内容および現場で実施した対応処置

［現場で実施した対応処置とその評価］と［技術的課題を解決するために検討した項目と検討理由及び検討内容］が混同してしまいがちなので，ここでは併記して記述を整理していきましょう。

技術的課題	問題解決のための検討項目（理由・内容）	現場で実施した対応・処置
高所作業での転落事故および墜落事故の防止	・使用材料の点検 ・足場組立手順の周知方法（足場の設置基準の順守） ・各種作業計画書の作成 ・各作業の作業主任者の選任 ・飛散防止ネット，落下防止のセーフティーネットの設置個所について ・現場内の整理整頓について	・作業主任者を選任し，直接指揮のもと作業を実施させた。 ・作業計画書通りの手順，方法で作業が行われているか巡視し，指導・確認を行った。 ・親綱を設置し，墜落制止用器具の使用を徹底させた。
材料や工具等の飛散・落下事故		・始業前に開口部がないか巡視を行った。 ・足場上の整理整頓を徹底した。
重機との接触事故	・作業手順の周知方法について ・死角での手元作業員との接触回避について ・排水工法の検討（トラフィカビリティを確保し，重機の転倒防止のため）	・作業計画書を作成し，作業時の危険個所を労働者に周知徹底した。 ・誘導員を配置し，誘導のもと作業を実施した。 ・仕上がり面ごとに排水勾配をつけてトラフィカビリティを確保した。 ※鉄板の敷設。地盤改良等でも可
第三者災害（道路工事などにおける交通事故）	・注意看板の設置位置について ・道路規制の手順（迂回道路の確保，誘導標識の設置位置等）について	・誘導標識，単管バリケード，照明等の設置，およびガードマンを配置し車線交通を確保した。 ・仮歩道を設け，第三者通路の安全を確保した。
工事全般（安全施工サイクル）	・作業のマンネリ化による意識の低下防止について	安全大会を実施し，現場の危険個所について指導，周知徹底を行った。 朝礼時，KY 活動を行い，作業ごとに危険個所を確認し，作業員への周知徹底を行った。

これらの対策を行った結果，「無事故で工事を終えることができた」のように，安全に作業が終えたと記述して締めくくります。

施工経験記述例（安全管理；土工事）

⑴　特に留意した技術的課題

本工事は，○○高速道路新設に伴う，工場用地の代替用地確保のための，切土○○○ m^3，盛土○○○ m^3，残土処理○○○ m^3，敷地面積○○○○ m^2を造成する工事であった。施工時期が6月～10月と梅雨・夕立・台風など急な豪雨の影響で地盤が不安定な状態になり建設機械の作業時の機械の転倒や土砂の崩壊が懸念された。また，複数の重機と手元作業員が混在しての作業となるため，接触事故防止対策が重要な課題となった。

⑵　技術的課題を解決するために**検討した項目と検討理由及び検討内容**

各種災害を防止するために，以下の項目について検討した。

①　施工期間に発生が予想される雨量に対し，設計の排水には十分ではないと、地盤の軟弱化に伴い、重機の転倒等の災害に繋がる恐れがあるため，仮排水設置計画を行い，排水工法の見直しについて検討した。

②　安全に施工を進めるためには，各作業員の安全意識の向上が必須となるため，全作業員への周知方法について検討した。

③　複数の重機と手元作業員との混在作業となり，手元作業員が死角になる恐れもあり，接触事故を防止するための対策方法について検討した。

⑶　上記検討の結果，**現場で実施した対応処置とその評価**

①　盛土施工時は，仕上がり面に排水勾配を設け，新設した仮排水溝より排水を行い，トラフィカビリティを確保し，転倒事故を防止した

②　安全大会を実施し，現場に隠れている危険個所について，作業員への周知徹底を行った。また，作業時は現場を巡視し，危険作業が行われていないか確認を行った。

③　作業員が重機と同一箇所で作業を行う場合は，作業員には反射ベストを着用させ，目立つようにすると共に，必ず誘導員を配置した。

以上の対策を行い，事故無く，安全性を確保し，無事故で工事を終えることが出来た。

施工経験記述例（安全管理；足場を使用したコンクリート工事等）

⑴ 特に留意した技術的課題

本工事は国道〇〇号線，△△バイパスの立体交差化に伴う，RC 橋脚10基の下部工工事である。橋脚の高さは平均で地上8m，地下6m程度あり，鋼矢板による土留め，足場を設置しての工事であった。国道4車線のうち2車線を締め切っての工事だったため，作業用地に余裕はなく国道に面しての作業であった。

そのため，掘削箇所及び足場からの墜落防止，道路への工具等の落下防止が無事故で工事を終えるための技術的課題であった。

⑵ 技術的課題を解決するために検討した項目と検討理由及び検討内容

各種災害を防止するために，以下の項目について検討した。

① 床付け面と地上面の高低差は6mあり移動及び荷物の運搬時に墜落の恐れがあるため，安全な移動方法について検討した。

② 掘削箇所は開口部となるため，墜落の恐れがある為，墜落防止対策について検討した。

③ 型枠の建込みや鉄筋の組立時は，足場から乗り出しての作業が必要であり，安全な作業環境の整備について検討した。

④ 足場から工具や材料等の落下は，第三者災害に直結するため，足場からの落下を防止する方法について検討した。

⑶ 上記検討の結果，現場で実施した対応処置とその評価

① 固定はしごには背かごを設置し，安全ブロックを使用して昇降するよう指示した。また工具や材料の荷揚げ・荷卸し用につり袋を設置した。

② 掘削箇所には単管を打込み，囲いを設け，ネットで覆いを設けた。

③ ブラケット足場を設け，極力開口部が小さくなるよう留意し，隙間には防網を設置した。やむを得ず，開口部付近での作業となる場合は，要求性能墜落制止用器具を使用させた。

④ 足場が国道に面する箇所は，継ぎ目にすき間ができないように幅広メッシュシートを用いて養生した。

以上の対策を行い，無事故で，安全に工事を終えることができた。

施工経験記述例（安全管理；橋脚補修工事）

⑴　特に留意した技術的課題

本工事は，○○高速道路の橋脚15基，塗装量1325m²，モルタル補修413m³，アラミド繊維補強420m²の耐震補強工事である。高さ12mの吊り足場を使用し，高速道路の規制作業もあり，労働災害および第三者災害防止のため，以下の事項が技術的課題となった。

①　足場設置時の墜落災害防止

②　足場上からの材料の飛散防止・工具等の落下防止

③　一般車両との接触事故防止

⑵　技術的課題を解決するために検討した項目と検討理由及び検討内容

①　安全に作業を実施するためには，管理者のみでなく，作業員の安全意識の向上が不可欠となるため，作業手順等，関係作業員への安全意識の周知方法及び確認方法について検討した。

②　吊り足場での作業においては，わずかな隙間でも材料の飛散・落下による第三者災害の恐れがあるため，材料の飛散・落下防止対策について検討した。

③　高速道路上の規制は，車両のスピードが速く，通常の道路規制以上に重大事故となる可能性があるため，安全な道路規制方法について検討した。

⑶　上記検討の結果，現場で実施した対応処置とその評価

①　足場工事の作業手順書を作成し，作業着手前に入念な打ち合わせを行い，作業手順の周知徹底及び，関係労働者への安全意識の向上をはかった。また，作業時は現場を巡視し，安全作業の実施と足場の設置基準を満たしているかの確認を行った。

②　吊り足場の作業床，および外周はブルーシートを二重に覆い固定し，材料の飛散・落下を防止した。

③　道路規制時は，道路工事標識車による誘導標識，カラーコーン，照明灯を設置，交通誘導員を配置し，安全な交通を確保した。

以上の対策を行い，無事故で，安全に工事を終えることができた。

施工経験記述例（安全管理；工事全般）

⑴　特に留意した技術的課題

本工事は，○○○における水道管取替工事に伴う，延長○○○mのアスファルト舗装復旧工事である。

7月～9月は最高気温が35℃を超える日もあり，かつ，舗装作業で用いるアスファルト混合物の温度は100℃を超え，炎天下でのアスファルト舗装作業箇所での温度は40℃を超える。

道路上での関係労働者の熱中症発生が予想され，熱中症予防対策が安全上，特に重要な技術的課題となった。

⑵　技術的課題を解決するために検討した項目と検討理由及び検討内容

熱中症を防止し，安全に作業を実施するために以下の項目について検討した。

①　作業箇所周辺には，日陰になる休憩場所がなく作業員の体温上昇の恐れがあったため，休憩場所の整備について検討した。

②　作業前の自己申告だけでは，熱中症防止対策としては不十分であるため，日々の体調の確認方法について検討した。

③　熱中症は命に係わる危険性があり，全作業員の共通認識として危険性を知ることで熱中症防止対策となるため，関係作業員に対する，熱中症の危険性の周知方法について検討した。

⑶　上記検討の結果，現場で実施した対応処置とその評価

①　作業箇所の近隣に冷房の使用可能な休憩車を設置し，水分と塩分を常時補給できるように大型水筒，塩分タブレットを配置した。また，連続作業時間に注意し休憩時間を適宜取るように指導した。

②　朝礼時，作業開始前に全作業員の体調確認を実施し，作業中は巡視・声掛けを行い，作業員の体調に異常がないか確認を行った。

③　事前に関係労働者に対して，熱中症の概要及び対策について安全衛生教育を実施し，危険性の周知徹底を行った。

以上の対策を実施することで，熱中症を発生させることなく安全に作業を終えることができた。

テーマ別留意事項（環境保全）

環境保全について記述する上でのポイントは，現場で発生する騒音・振動対策，排水に伴う濁水対策（水質汚濁），粉じん対策，産業廃棄物の適正処分等について記述します。

現場特有の問題点は，市街地なのか，自然の多いエリアなのかという立地によって課題が変わってきます。採点者に現場がイメージできるように問題点を伝えるのが記述試験のポイントです。生活環境を保全するために現場で行った対策について記述してください。

「騒音・振動対策」

…低騒音，低振動型建設機械の使用。機械の点検・整備状態を良くする。施工箇所の周囲に遮音壁，遮音シート等を設置。運搬路の整備。

「排水対策」

…ノッチタンクを設置し，沈砂させ上澄み水のみを排出。コンクリート工事で発生した廃アルカリ水は，中和処理を行う。

「粉塵対策」

…養生シート・防塵ネットを設置。車両走行部への鉄板の敷設。散水，塩化カルシウムや瀝青材料（アスファルト乳剤）の散布。散水車による道路の洗浄。タイヤ洗浄装置の設置。粉塵防止材の散布（種子吹付け）等。

「産業廃棄物の適正処分」

…分別解体（異種廃棄物の混合に留意）。廃棄を依託する場合はマニフェストを発行（運搬状況，処理状況を巡視し適正に処理されていることを確認）等。

※2級土木施工管理技士第2次検定試験ではテーマは2つ出題され，環境保全に関する出題は，頻度が低いため，例文は省略します。

最重要 施工経験記述の対策・準備　合格ノート

① 令和5年度以前の出題を基に，自身の経験に基づく3つのテーマについて準備を行ってください！
→ これは与えられたテーマに適切に答える訓練です。この記述力が，施工経験記述を書くための基本となります。

② ①で準備した記述内容において，現場の条件や環境が変わると，どんな課題が発生するかを多角的に考えてください。（工程管理・品質管理・安全管理に限らず，完成品管理や環境対策も含め，広範な施工計画の観点から対策が求められることがあります。）

③ 土工やコンクリート工などの代表的な工種について，どのような課題があり，それに対処する方法を理解しておくことが重要です。（第2章の土工，第3章のコンクリート工，第4章の品質管理で出題される施工上の留意事項と組み合わせて，課題とその対策を準備することで，暗記しなければならない項目を減らすことが可能です。）

第2章 土工

出題概要（過去の出題傾向と予想）

出題問題数	出題内容	出題形式
1～2問	盛土（材料・高含水比の施工）・切土の施工，軟弱地盤対策，法面保護工，建設機械の特徴等	穴埋め問題・記述式問題（施工上の留意点　工法名もしくは工法の特徴）等

出題パターン（出題予想）

	盛土の施工	土の変化率	建設機械	軟弱地盤対策	のり面保護	切土
令和6年度	○	△	○	◎	○	×
令和5年度						穴埋め
令和4年度						
令和3年度	穴埋め		穴埋め（盛土の施工）			
令和2年度				記述		穴埋め
令和元年度	穴埋め				記述	
平成30年度	穴埋め（裏込め）			記述		
平成29年度				記述		穴埋め
平成28年度			穴埋め（盛土の施工）		記述	
平成27年度		穴埋め		記述		
平成26年度	記述					
	穴埋め					
平成25年度			記述			穴埋め
平成24年度	穴埋め			記述		

令和4年は品質管理から盛土材料について出題されたため，この範囲からの出題はありませんでした。

ひげごろーのアドバイス

文章中の**下線部**は，過去の試験問題において，穴埋め問題で出題された重要ワードとなります。しっかり前後の文章との兼ね合いを記憶していってください。

※過去問で出題された文章の周辺からも新たに出題されることはよくあるため，周辺のキーとなりそうな用語も併せて覚えておくと，捻った問題にも対応できるようになります。

盛土の施工（材料・施工）

盛土工の基本

盛土の実施にあたっては，築造物の使用目的との適合性，構造物の安全性，繰返し荷重による沈下や法面の浸食に対する耐久性，施工品質の確保，維持管理の容易さ，環境との調和，経済性などを考慮しなければならない。

盛土施工上の留意点

①　盛土材料

盛土に用いる材料は，**敷均し・締固めが容易**で**締固め後**の**せん断強度が高く**，**圧縮性が小さく**，**雨水などの浸食に強いとともに，吸水による膨潤性が低い**ことが望ましい。粒度配合（粒度分布）のよい礫質土や砂質土がこれにあたる。

盛土材料は，可能な限り現地**発生土**を有効利用することを原則とする。現場発生土は，破砕された岩から**高含水比**の粘性土にいたるまで多種にわたる。

②　基礎地盤の処理

・盛土の基礎地盤は，盛土の施工に先立って適切な処理を行わなければならない。特に，沢部や湧水の多い箇所での盛土の施工においては適切な排水処理を行う。

・盛土の**基礎地盤**に草木や切株がある場合は，伐開除根（ばっかいじょこん）など施工に先立って適切な処理を行うものとする。

・軟弱地盤に盛土や土工構造物を施工する場合は，**施工機械のトラフィカビリティ**の確保と所要の排水性能の確保が必要であり，このためサンドマット工法又は表層混合処理工法などが併用されることが多い。

③ 敷均し及び含水量調節

・盛土を締め固めた際の一層の平均仕上がり厚さ及び締固め程度が管理基準値を満足するよう，敷均しを行う。

敷均し厚さと締固め後の仕上がり高さ

工　種	締固め後の仕上り厚さ	敷均し厚さ
路体盛土	30cm 以下	35～45cm 以下
路床盛土	20cm 以下	25～30cm 以下

・盛土の施工にあたっては，雨水の浸入による盛土の**軟弱化**や豪雨時などの盛土自体の崩壊を防ぐため，盛土施工時の**排水**を適切に行うものとする。
・締固め時に規定される**施工含水比**が得られるように，敷均し時に**含水量調節**を行う。同じ土質であっても**含水比**の状態で締固めに対する方法が異なる。
・含水量の調節は，材料の**自然含水比**が締固め時に規定される**施工含水比**の範囲内にない場合にその範囲に入るよう調節するもので，**ばっ気乾燥**，**トレンチ掘削による含水比の低下**，散水等の方法がとられる。

④ 締固め

・**高まきを避け，水平に薄層に敷き均し，均等に締め固める**。盛土**端部**や隅部等は締固めが不十分になりやすいため，入念に締め固める。
・敷均し厚さは，盛土材料の粒度や土質，締固め機械，施工方法などの条件に左右されるが，一般的に路体では層の締固め後の仕上り厚さを30cm 以下とする。また，路床では1層の締固め後の仕上り厚さは20cm 以下とする。
・最適含水比，**最大乾燥密度**に締め固められた土は，その締固めの条件のもとで間隙が最小となっており，外部からの水浸しに対する耐久性が高まり，安定した状態を保つことができる。
・盛土材料が**良質**で法面勾配が1：2.0程度までの場合には，ブルドーザを用いて法面を締め固めることができる。

※高含水比粘性土の施工時の留意事項
・接地圧の小さい湿地ブルドーザを使用する。
・不整地運搬車（クローラーダンプ）で材料を二次運搬する。
・ある一定の高さごとに透水性の良い山砂等で排水層を設ける。

関連問題&よくわかる解説

問題1 □□□

盛土の施工に関する次の文章の［　　］の（イ）～（ホ）に当てはまる適切な語句を，下記の語句から選び解答欄に記入しなさい。

R 1［問題 2］出題

(1) 盛土材料としては，可能な限り現地［　イ　］を有効利用することを原則としている。

(2) 盛土の［　ロ　］に草木や切株がある場合は，伐開除根など施工に先立って適切な処理を行うものとする。

(3) 盛土材料の含水量調節にはばっ気と［　ハ　］があるが，これらは一般に敷均しの際に行われる。

(4) 盛土の施工にあたっては，雨水の浸入による盛土の［　ニ　］や豪雨時などの盛土自体の崩壊を防ぐため，盛土施工時の［　ホ　］を適切に行うものとする。

［語句］

購入土，	固化材，	サンドマット，	腐植土，	軟弱化，
発生土，	基礎地盤，	日照，	粉じん，	粒度調整，
散水，	補強材，	排水，	不透水層，	越水

解説

「道路土工―道路土工指針」より。

(1) 盛土材料としては，可能な限り現地［**発生土**］を有効利用することを原則としている。

(2) 盛土の［**基礎地盤**］に草木や切株がある場合は，伐開除根など施工に先立って適切な処理を行うものとする。

(3) 盛土材料の含水量調節にはばっ気と［**散水**］があるが，これらは一般に敷均しの際に行われる。

(4) 盛土の施工にあたっては，雨水の浸入による盛土の［**軟弱化**］や豪雨時などの盛土自体の崩壊を防ぐため，盛土施工時の［**排水**］を適切に行うものとする。

解答

(イ)	(ロ)	(ハ)	(ニ)	(ホ)
発生土	基礎地盤	散水	軟弱化	排水

問題2 □□□

盛土の施工に関する次の文章の［　　］の（イ）～（ホ）に当てはまる適切な語句を，下記の語句から選び解答欄に記入しなさい。

H26［問題 2－1］出題

⑴　盛土に用いる材料は，敷均しや締固めが容易で締固め後のせん断強度が［　イ　］，［　ロ　］が小さく，雨水などの浸食に強いとともに，吸水による［　ハ　］が低いことが望ましい。

⑵　盛土材料が［　ニ　］で法面勾配が1:2.0程度までの場合には，ブルドーザを法面に丹念に走らせて締め固める方法もあり，この場合，法尻にブルドーザのための平地があるとよい。

⑶　盛土法面における法面保護工は，法面の長期的な安定性確保とともに自然環境の保全や修景を主目的とする点から，初めに法面［　ホ　］工の適用について検討することが望ましい。

［語句］

擁壁,	高く,	せん断力,	有機質,	伸縮性,
良質,	粘性,	低く,	膨潤性,	岩塊,
湿潤性,	緑化,	圧縮性,	水平,	モルタル吹付

解説

「道路土工－盛土工指針」より。

⑴　盛土に用いる材料としては，敷均し・締固めが容易で締固め後のせん断強度が［**高く**］，［**圧縮性**］が小さく，雨水等の浸食に強いとともに，吸水による［**膨潤性**］（水を吸着して体積が増大する性質）が低いことが望ましい。

⑵　盛土材料が［**良質**］で法面勾配が1:2.0程度までの場合には，ブルドーザを法面に丹念に走らせて締め固める方法もある。この場合，法尻にブルドーザのための平地があるとよい。

⑶　盛土法面における法面保護工の選定に当たっては，法面の長期的な安定性確保

とともに自然環境の保全や修景を主目的とする点から，まず法面［**緑化**］工の適用について検討することが望ましい。

解答

（イ）	（ロ）	（ハ）	（ニ）	（ホ）
高く	圧縮性	膨潤性	良質	緑化

土工

問題３ □□□

盛土の施工に関する次の文章の［　　　］の（イ）～（ホ）に当てはまる適切な語句を，下記の語句から選び解答欄に記入しなさい。

H24［問題 2－1］出題

⑴　盛土に用いる材料としては，敷均しや締固めの施工が容易で締め固めた後のせん断強さが大きく［　イ　］が少なく，雨水などの侵食に対して強いとともに吸水による膨潤性の低いことが望ましい。

⑵　敷均しは，盛土を均一に締め固めるために最も重要な作業であり，［　ロ　］でていねいに敷均しを行えば均一でよく締まった盛土を築造することができる。

⑶　含水量の調節は，材料の自然［　ハ　］が締固め時に規定される施工［　ハ　］の範囲内にない場合にはその範囲に入るよう，［　ニ　］やトレンチ掘削による［　ハ　］の低下，散水の方法などがとられる。

⑷　最適含水比，最大［　ホ　］に締め固められた土は，その締固めの条件のもとでは土の間隙が最小である。

［語句］

支持力，	収縮性，	押え盛土，	薄層，	劣化，
サンドマット，	軽量盛土，	飽和度，	ばっ気乾燥，	含水比，
乾燥密度，	圧縮性，	コーン指数，	高まき出し，	N 値

解説

⑴　盛土材料には，施工が容易で，盛土の安定性を保ち，かつ有害な変形が生じないような材料を用いなければならない。このため，盛土に用いる材料としては，敷均し・締固めが容易で締固め後のせん断強度が高く，［**圧縮性**］が少なく，雨水

等の侵食に強いとともに，吸水による膨潤性が低いことが望ましい。

⑵ 運搬機械で搬入された盛土材料は，締固めのために所定の厚さに敷き均される。敷均しは盛土を均一に締固めるために最も重要な作業であり，［**薄層**］でていねいに敷均しを行えば均一でよく締まった盛土を築造することができる。

⑶ 含水量の調節は，材料の自然［**含水比**］が締固め時に規定される施工［**含水比**］の範囲内にない場合にその範囲に入るよう調節するもので，［**ばっ気乾燥**］，トレンチ掘削による［**含水比**］の低下，散水等の方法がとられる。

⑷ 最適含水比，最大［**乾燥密度**］に締め固められた土は，その締固めの条件のもとで間隙が最小となっている。良質な土を適切な締固め機械で締め固めると，土は圧縮され，破砕されながら配列を変え，大きな粒子の間隙をより細かい粒子が埋めて密な状態に移行する。こうした高密度に締め固められた土は，外部からの水浸しに対する耐久性が高まり，安定した状態を保つことができる。

解答

(イ)	(ロ)	(ハ)	(ニ)	(ホ)
圧縮性	薄層	含水比	ばっ気乾燥	乾燥密度

問題4 □□□

盛土に高含水比の現場発生土を使用する場合，下記の⑴⑵についてそれぞれ1つ解答欄に記述しなさい。 H26［問題 2－2］出題

⑴ 土の含水量の調節方法

⑵ 敷均し時の施工上の留意点

解答欄

⑴ **土の含水量の調節方法**

⑵ **敷均し時の施工上の留意点**

解説

盛土に高含水比の現場発生土を使用する場合の対応は，以下のとおりである。

(1) **土の含水量の調節方法**

・締固めに先立って敷き均し，放置したり，かき起こしたりして**ばっ気乾燥**させる。
・切土作業面より下に**トレンチ（溝）を掘削**し，地下水位を低下させる。
・石灰やセメントなどの添加剤を用いて**地盤改良**を行う。

(2) **敷き均し時の施工上の留意点**

・**接地圧の小さい**湿地ブルドーザを使用する。
・不整地運搬車（クローラーダンプ）で材料を二次運搬する。
・ある一定の高さごとに**透水性の良い山砂等で排水層を設ける**。

したがって，以上の文の中から(1)，(2)についてそれぞれ1つを選び，解答欄に簡潔に記述すればよい。

※キーワードや重要なポイントを押さえていれば，上記以外の文章も正解となります。また，仕様書等に記載のある他の対策を記入しても正解となります。ここに記載している文章はあくまで解答の一例です。（以降の記述問題においても同様）

裏込め盛土

ボックスカルバートや橋台などの構造物との接続部では，盛土部の基礎地盤の沈下および盛土自体の沈下等により段差が生じやすいため，使用材料及び施工方法には留意する必要がある。

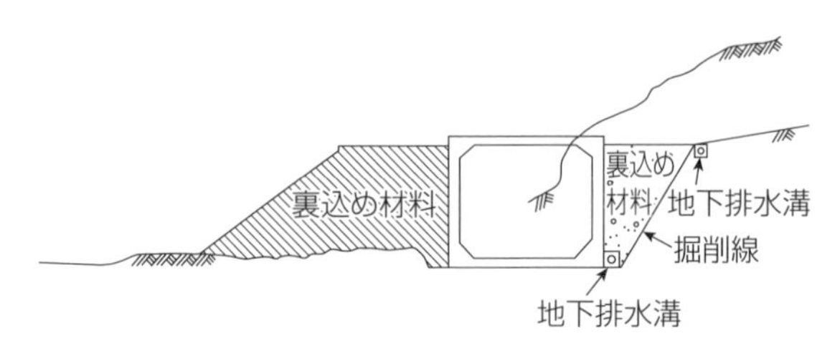

裏込め盛土

使用材料

・橋台やカルバートなどの裏込め材料としては，**非圧縮性**で**透水性があり**，水の浸入による**強度の低下が少ない**安定した材料（砂利，切込み砕石等）を用いる。

・地震による沈下の被害が少なく透水性や粒度分布のよい粗粒土を用いることが望ましく，粘土分含有量を低く抑えるために塑性指数の範囲を設定する。

施工時の留意事項

① 構造物の移動や変形を防止するため，**偏土圧がかからないように，両側から均等に薄層で施工する。高まき出しを避け一層の仕上り厚さが20㎝以下になるよう，入念に締め固める**。

② 底部がくさび形になり面積が狭く，締固め作業が困難となり締固めが不十分となりやすいため，小型の締固め機械（タンパー・**ランマ**等）を使用するなどして入念に締め固める。

③ 裏込め部においては，雨水が流入したり，たまりやすいので，工事中は雨水の流入をできるだけ防止するとともに，浸透水に対しては，**地下排水溝**を設けて処理をすることが望ましい。

④ 盛土と橋台などの構造物との取付け部には**踏掛版**を設置し，その境界に生じる段差の影響を緩和する。

関連問題&よくわかる解説

問題1 □□□

下図のような構造物の裏込め及び埋戻しに関する次の文章の［　　］の（イ）～（ホ）に当てはまる適切な語句又は数値を，下記の語句から選び解答欄に記入しなさい。

H30［問題 2］出題

(1) 裏込め材料は，［ イ ］で透水性があり，締固めが容易で，かつ水の浸入による強度の低下が［ ロ ］安定した材料を用いる。

(2) 裏込め，埋戻しの施工においては，小型ブルドーザ，人力などにより平坦に敷均し，仕上り厚は［ ハ ］cm 以下とする。

(3) 締固めにおいては，できるだけ大型の締固め機械を使用し，構造物縁部などについてはソイルコンパクタや［ ニ ］などの小型締固め機械により入念に締め固めなければならない。

(4) 裏込め部においては，雨水が流入したり，たまりやすいので，工事中は雨水の流入をできるだけ防止するとともに，浸透水に対しては，［ ホ ］を設けて処理をすることが望ましい。

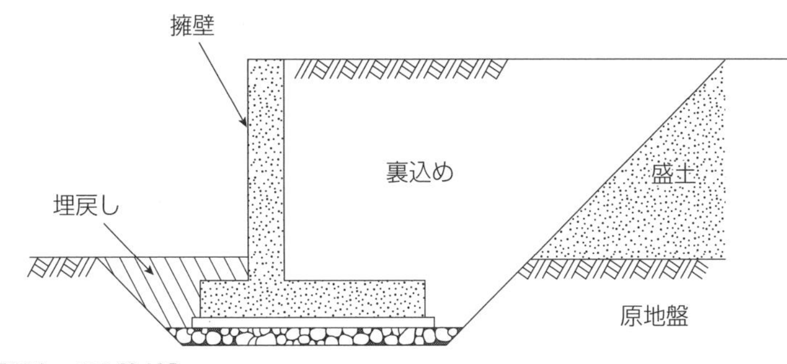

［語句又は数値］

弾性体，	40，	振動ローラ，	少ない，	地表面排水溝，
乾燥施設，	可撓性，	高い，	ランマ，	20，
大きい，	地下排水溝，	非圧縮性，	60，	タイヤローラ

土工

解説

(1) 裏込め材料は，［**非圧縮性**］で透水性があり，締固めが容易で，かつ水の浸入による強度の低下が［**少ない**］安定した材料を用いる。

(2) 裏込め，埋戻しの施工においては，小型ブルドーザ，人力などにより平坦に敷均し，仕上り厚は［**20**］cm 以下とする。

(3) 締固めにおいては，できるだけ大型の締固め機械を使用し，構造物縁部などについてはソイルコンパクタや［**ランマ**］などの小型締固め機械により入念に締め固めなければならない。

(4) 裏込め部においては，雨水が流入したり，たまりやすいので，工事中は雨水の流入をできるだけ防止するとともに，浸透水に対しては，［**地下排水溝**］を設けて処理をすることが望ましい。

解答

(イ)	(ロ)	(ハ)	(ニ)	(ホ)
非圧縮性	少ない	20	ランマ	地下排水溝

土の変化率

土を掘削し，運搬して盛土をする場合，土は地山にあるとき，それをほぐしたとき，それを締め固めたときでは，それぞれの状態によって体積が異なる。土工の計画に当たっては，この土量の変化をあらかじめ推定して，**土量の配分**や**土の運搬の計画**を立てる。

3つの土の状態と土工作業の関係は，次のようになる。

地山の土量……………掘削すべき土量
ほぐした土量…………運搬すべき土量
締め固めた土量………出来上がりの盛土量

これらの状態における土量は，地山土量との体積比を取った土量の変化率で表され，変化率L（loose：ほぐした状態）及びC（compact：締め固めた状態）の関係は図に示すとおりである。

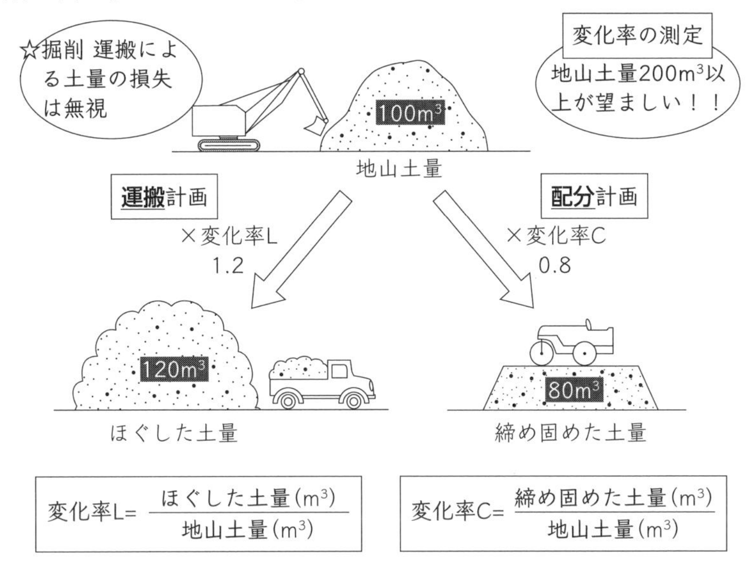

掘削（地山土量） ⇨	運搬（ほぐした土量） ⇨	締固め（締め固めた土量）
地山は，土粒子に適度な間隙をもったまま安定した状態。この土量を1とする。	地山をほぐすと土粒子の間隙が大きくなり，土量が地山の約1.20～1.30倍に増える。なお，ダンプの積載土量はほぐした土量で表す。	ほぐした土を締め固めると土粒子が密になり，土量は地山の約0.80～0.95倍と少なくなる。

関連問題&よくわかる解説

問題1 □□□

土工に関する次の文章の［　　　］の（イ）～（ホ）に当てはまる適切な語句又は数値を，下記の語句又は数値から選び解答欄に記入しなさい。

H27［問題2］出題

(1) 土量の変化率（L）は，［　イ　］(m^3)／地山土量（m^3）で求められる。

(2) 土量の変化率（C）は，［　ロ　］(m^3)／地山土量（m^3）で求められる。

(3) 土量の変化率（L）は，土の［　ハ　］計画の立案に用いられる。

(4) 土量の変化率（C）は，土の［　ニ　］計画の立案に用いられる。

(5) $300m^3$の地山土量を掘削し，運搬して締め固めると［　ホ　］m^3となる。ただし，L＝1.2，C＝0.8とし，運搬ロスはないものとする。

［語句又は数値］

補正土量，	配分，	累加土量，	保全，	運搬，
200，	掘削土量，	資材，	ほぐした土量，	250，
締め固めた土量，	安全，	240，	労務，	残土量

解説

(1) 土量の変化率（L）は，［**ほぐした土量**］(m^3)／地山土量（m^3）で求められる。

(2) 土量の変化率（C）は，［**締め固めた土量**］(m^3)／地山土量（m^3）で求められる。

(3) 土量の変化率（L）は，土の［**運搬**］計画の立案に用いられる。

(4) 土量の変化率（C）は，土の［**配分**］計画の立案に用いられる。

(5) $300m^3$の地山土量を掘削し，運搬して締め固めると［**240**］m^3となる。

地山から土を採取して締め固めた時の土量を求める。

土の変化率は，C＝締固め土量／地山の土量より，

締固め土量＝C×地山の土量＝$0.8\times300m^3$＝［**240**］m^3となる。

解答

（イ）	（ロ）	（ハ）	（ニ）	（ホ）
ほぐした土量	締め固めた土量	運搬	配分	240

軟弱地盤対策

軟弱地盤とは，①粘性土ないし有機質度からなり，**含水量がきわめて大きい軟弱な地盤**と②**砂質土からなり，緩い飽和状態**の軟弱な地盤を指す。軟弱地盤上に盛土などを建設すると，地盤の安定性の不足や過大な沈下によって問題を起こすことが多い。また，施工の際も，地盤の排水の難しいことやトラフィカビリティの不足などによって困難な問題が生じるとされている。表1に軟弱地盤対策工の目的と効果を示し，表2にこれに対応した軟弱地盤対策工の種類を示す。

表1　軟弱地盤対策工の概要

対策工の目的	対策工の効果	
沈下対策	圧密沈下の促進	地盤の圧密を促進して，残留沈下量を低減する。
	全沈下量の減少	全沈下量を低減することで，残留沈下量を低減する。
安定の確保	せん断変形の抑制	盛土の沈下によって周辺の地盤の膨れ上がりや，沈下に伴う側方移動を抑制する。
	強度低下の抑制	地盤の強度が盛土などの荷重によって低下することを抑制し，安定を図る。
	強度増加の促進	地盤の強度を増加させることによって，安定を図る。
	すべり抵抗の増加	盛土形状を変えたり地盤の一部を置き換えることによって，すべり抵抗を増加し安定を図る。
液状化対策	液状化の防止	砂質地盤の液状化の発生を抑制する。

表2　軟弱地盤対策工の種類と効果

工　法		工法の説明	期待される効果
表層処理工法	サンドマット工法	**軟弱地盤上に透水性の高い砂**を50～120cmの厚さに**敷きならす**工法。軟弱層の**圧密のための上部排水層**の役割を果たすものである。盛土作業に必要な施工機械の**トラフィカビリティ**を確保する。	すべり抵抗の増加 せん断変形の抑制
	表層混合処理工法	基礎地盤の**表面**を**石灰やセメントで処理**する工法。地盤の強度を増加し，安定性増大，変形抑制及び施工機械のトラフィカビリティの確保をはかる工法である。	強度低下の抑制 強度増加の促進 すべり抵抗の増加
	敷設工法	軟弱地盤の**表層**を**処理する工法**で，**ジオテキスタイル・鉄網**などを敷広げ**トラフィカビリティを確保**する工法。	すべり抵抗の増加 せん断変形の抑制
緩速載荷工法		時間をかけ**ゆっくりと盛土を仕上げる**工法。（圧密の進行に伴って増加する地盤のせん断強さを期待する工法）圧密が収束するまで長期間を要するが，土工以外の工種はないので，経済性に優れている。	強度低下の抑制 せん断変形の抑制
押え盛土工法 （矢板工法・杭工法）		施工している盛土が沈下して**側方流動を防ぐ**ために，計画の盛土の**側方部を押えるための盛土（矢板・杭）を設置する**ことで，盛土の安定をはかる工法。	すべり抵抗の増加 せん断変形の抑制
置換工法		軟弱層の一部または全部を**除去し，良質材で置き換える**工法である。	全沈下量の減少 せん断変形の抑制 すべり抵抗の増加 液状化の防止
盛土補強工法		**盛土中**に鋼製ネット，**ジオテキスタイル**等を設置し，**盛土を補強**する工法。**地盤の側方流動**およびすべり破壊を**抑制**する。	すべり抵抗の増加 せん断変形の抑制
荷重軽減工法 軽量盛土工法		盛土本体の**重量を軽減**する工法。盛土材として，発泡スチロール，軽石，スラグなどが使用される。	全沈下量の減少 強度低下の抑制

分類	工法	概要	効果
	盛土載荷重工法（プレロード工法）	**将来建設される構造物の荷重と同等か，それ以上の荷重を載荷**して基礎地盤の**圧密沈下を促進**させ，残留沈下量の低減や地盤の強度増加をはかる工法である。地盤強度を増加させた後，積荷重を除去して構造物を構築する。	圧密沈下の促進 強度増加の促進
	バーチカルドレーン工法（排水工法）	**軟弱地盤中**に**鉛直方向**に**砂柱・カードボード・礫（砂利）**などを設置し，水平方向の**圧密排水距離を短縮**し，**圧密沈下を促進**し合わせて**強度増加**を図る工法。 ※排水材料によって工法名が異なる。 ・砂………………サンドドレーン工法 ・カードボード…カーボドレーン工法 ・砂利……………グラベルドレーン工法	圧密沈下の促進 せん断変形の抑制 強度増加の促進
締固め工法	サンドコンパクションパイル工法	**軟弱地盤中**に振動あるいは**衝撃荷重**により**砂を打ち込み**，密度が高く強い**砂杭を造成**するとともに，軟弱層を**締め固める**ことにより，沈下の減少などをはかる工法。	全沈下量の減少 すべり抵抗の増加 液状化の防止
	バイブロフローテーション工法	**緩い砂地盤中**に棒状の**振動機**を入れ，水を注水し，振動と注水により**地盤を締固め**，**砂杭を形成**する工法。	全沈下量の減少 すべり抵抗の増加 液状化の防止
固結工法	深層混合処理工法（石灰パイル工法）	**軟弱地盤中**において**セメント（や石灰等の固化材）**を撹拌混合し，地盤の強度を増加させる工法。	全沈下量の減少 すべり抵抗の増加
	薬液注入工法	**軟弱地盤中**に薬液を注入して，薬液の凝結効果により地盤の**透水性を低下**させ，また，**土粒子間を固結**させ現地地盤強度を増大させる工法。	
地下水位低下工法	ディープウェル工法	**地下水位を低下**させることにより，地盤がそれまで受けていた浮力に相当する荷重を下層の軟弱層に載荷して圧密沈下を促進し強度増加をはかる工法である。**透水性が大きい砂質土・礫質土**で，**排水量が多い**場合に用いられる。	圧密沈下の促進
	ウェルポイント工法	ディープウェル工法と同様に，圧密沈下を促進し強度増加をはかる工法である。真空ポンプを用いて強制的にくみ上げるため，**透水係数の小さい土質にも適用**できる。	

最重要 軟弱地盤対策

合格ノートⅠ－⑭

☆表層処理工法

トラフィカビリティの確保

・表層混合処理工法…地盤の表層にセメント，石灰をかくはんして固める

・サンドマット工法…表層に砂のマット（排水層）0.5～1.2m を敷く

・敷設材工法…ジオテキスタイルを敷設 すべり抵抗の増加

☆緩速 載荷工法……時間をかけてゆっくり盛土を立上げる
ゆっくり 盛土 強度低下の抑制

☆押え盛土工法…盛土の側方に押え盛土を築造
本体盛土を押える すべり抵抗の増加

☆置換工法…軟弱地盤の一部または
置き換える 全部除去し，良質材で置き換える
全沈下量の減少

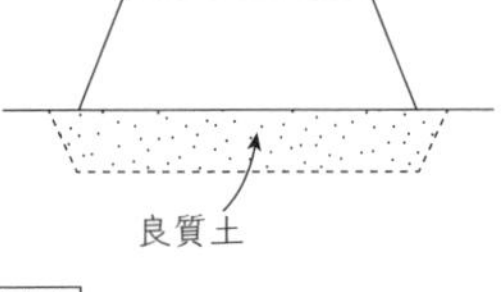

☆盛土補強工法…ジオテキスタイル等で
盛土中 盛土を補強する
すべり抵抗の増加

☆軽量盛土工法…盛土本体の重量を軽減 全沈下量の減少
軽い材量 （発泡材，軽石，スラグ等）

☆載荷重工法…計画されている荷重と同等以上の荷重（盛土）を載荷
荷重を載せる（盛土） 圧密沈下の促進

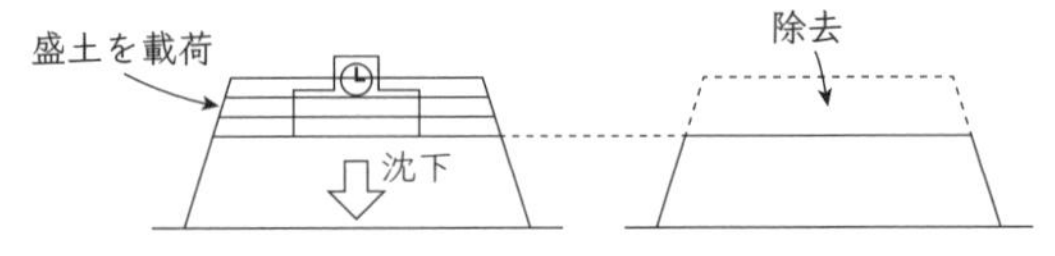

☆バーチカル ドレーン工法
鉛直 排水

…軟弱地盤中に，鉛直方向に砂柱やカードボード，砂利などを設置し地盤中の排水を促す

圧密沈下を促進

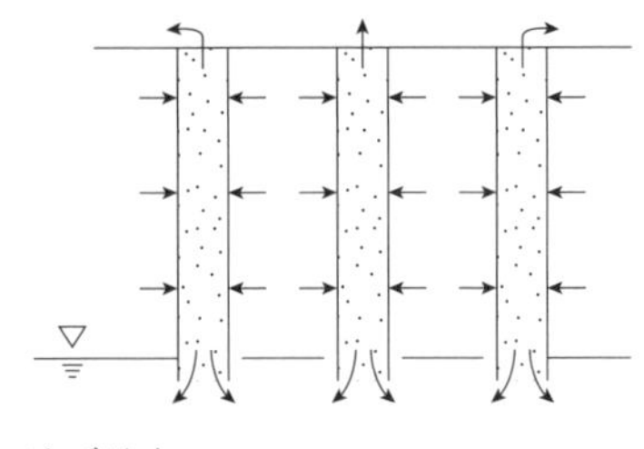

・サンドドレーン（砂排水）
・グラベルドレーン（砂利排水）
・カードボードドレーン（カードボード排水）

☆強度が出るわけではない
排水を促すための材料!!

☆サンド コンパクション パイル工法
砂 締固め 杭

…軟弱地盤中に，砂杭を造成し
杭の支持力によって安定を増す
全沈下量の減少

※杭の打設深度，投入砂量等は
全数確認を行う。

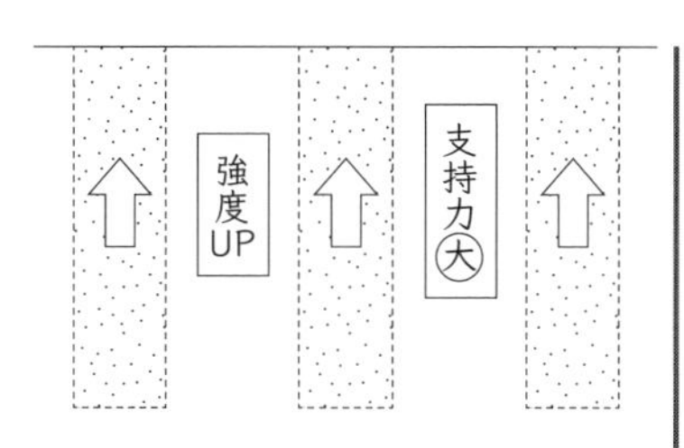

☆バイブロフローテーション工法…ゆるい砂質地盤に，棒状の振動機を用いて，水締めによって締め固める。 全沈下量の減少
振動

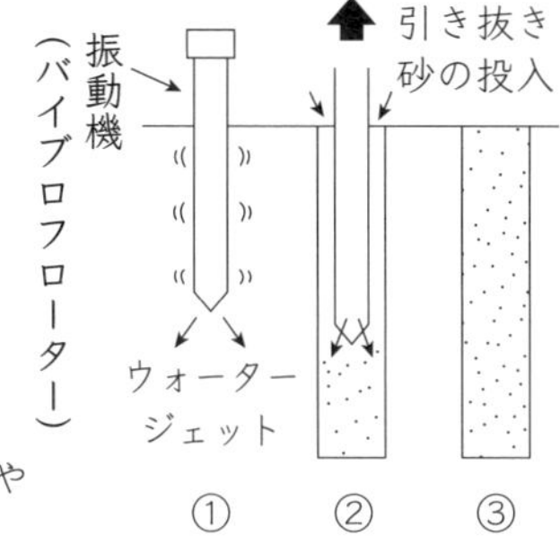

☆固結工法
・深層混合処理工法…かくはん機を用いて，軟弱地盤中にセメントや石灰を混合し地盤改良
全沈下量の減少
深層
(石灰パイル工法)

・薬液注入工法…薬液によって軟弱地盤中の透水性の減少，土粒子間を固結させ安定させる。全沈下量の減少
(間げき水)

☆地下水低下工法…地下水位を低下させることによって，圧密沈下の促進
・ディープウェル工法（深井戸排水工法）…透水性の大きい土質に対応
排水量が大きい
・ウェルポイント工法…比較的透水性の小さい土質にも対応

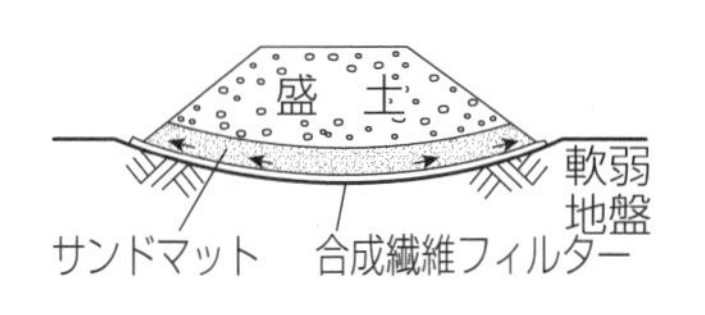

サンドマット工法

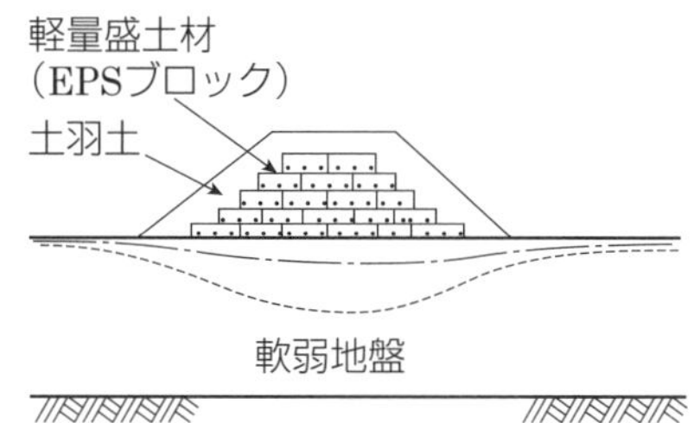

荷重軽減工法（軽量盛土工）

土工

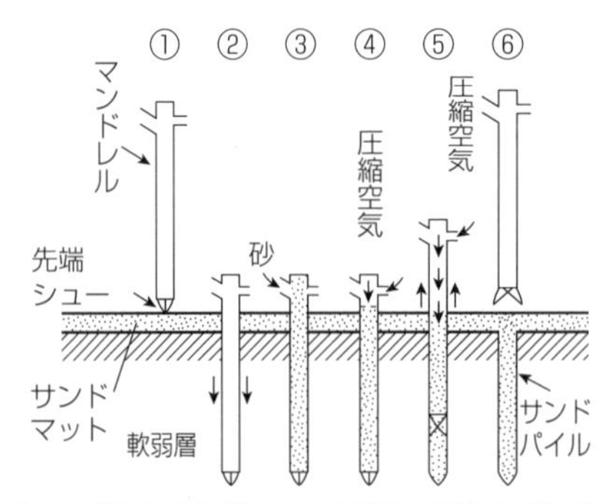

①マンドレルの先端シューを閉じ，所定位置に設置

②振動によりマンドレルを打込む

③砂を投入（バケットによる）

④，⑤砂投入口を閉じ，圧縮空気を送りながら

⑥マンドレルを引抜く

サンドドレーン工法

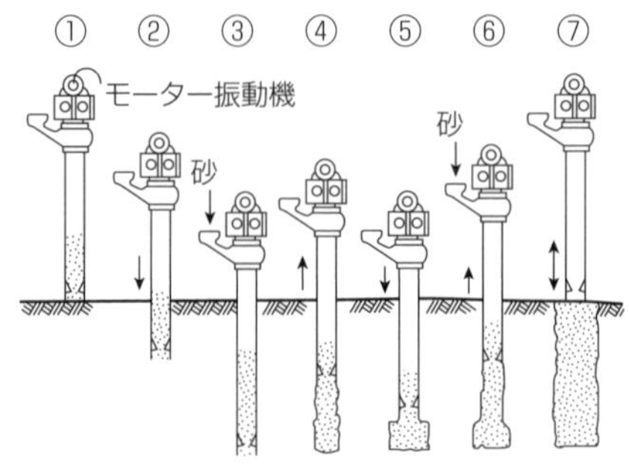

①先端に砂のせんを設ける

②パイプ頭部のバイブロモーター振動機によってパイプを地中に挿入する

③砂を投入し，振動させながらパイプを上下し，砂のせんを抜く

④，⑤，⑥振動させながらパイプを上下し，砂を地中に圧入

⑥パイプを引抜き，締固めた砂柱をつくって完了

サンドコンパクションパイル工法

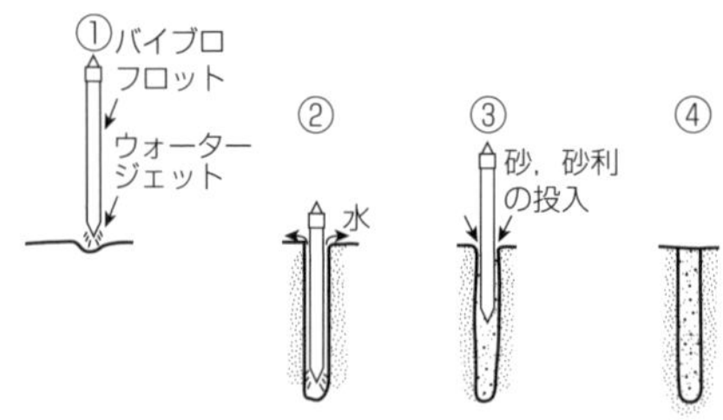

①，②バイブロフロットを水の噴射と振動によって地盤内に貫入する

③砂利を投入，噴射と振動によって周辺の砂を締め固めながらバイブロフロットを引上げていく

④バイブロフロットを引上げ，締め固め完了

バイブロフローテーション工法

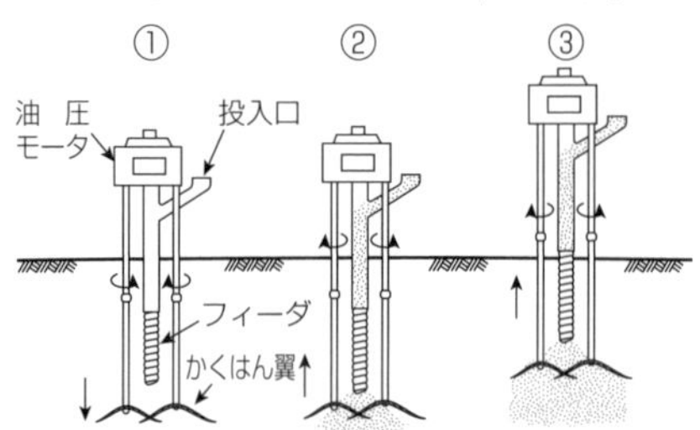

①かくはん機を貫入する

②石灰を投入し，かくはんする

③石灰投入・かくはんを行いながら機械を引き抜く

深層混合処理工法

関連問題&よくわかる解説

問題１ □□□

軟弱地盤対策工法に関する次の工法から２つ選び，工法名とその工法の特徴についてそれぞれ解答欄に記述しなさい。（各年度，５つの工法名が出題されます。）

R２・H30・H29［問題３］，H24［問題２－２］出題

		出題年度
①	サンドドレーン工法	R2，H30，H24
②	サンドマット工法	R2，H29，H24
③	深層混合処理工法（機械かくはん方式）	R2，H30，H24
④	表層混合処理工法	R2，H29
⑤	押え盛土工法	R2，H30
⑥	盛土載荷重工法	H30，H24
⑦	発泡スチロールブロック工法（軽量盛土工法）	H30，H24
⑧	緩速載荷工法	H29
⑨	地下水位低下工法	H29
⑩	掘削置換工法	H29

解答欄

1．工法名；

特　徴；

2．工法名；

特　徴；

土工

解説

① サンドドレーン工法

軟弱地盤中に鉛直方向に砂柱を設置し，水平方向の圧密排水距離を短縮し，圧密沈下を促進し，強度増加を図る工法。

② サンドマット工法（敷砂工法）

軟弱地盤上に透水性の高い砂を50～120㎝の厚さに敷き均す工法。

・盛土内の排水層となって，盛土内の圧密排水を促進させる。

・盛土作業に必要な施工機械のトラフィカビリティを確保する。

③ 深層混合処理工法（機械かくはん方式）

軟弱地盤中（深さ10m以上）をセメント等の固化材を撹拌混合し，地盤の強度を増加させる工法。

④ 表層混合処理工法

石灰又はセメントなどの添加材を，軟弱な表層地盤に混合して，地盤の支持力，安定性を増加させて施工機械のトラフィカビリティを確保する工法。

⑤ 押え盛土工法

施工している盛土が沈下して側方流動（側方へのすべり）するのを防ぐために，計画の盛土の側方部を押えるための盛土を設置することで， 盛土の安定をはかる工法。

⑥ 盛土載荷重工法

将来建設される構造物の荷重と同等以上の荷重を載荷して基礎地盤の圧密沈下を促進させ，地盤強度を増加させた後，積載荷重を除去する工法。

⑦ 軽量盛土工法（発泡スチロールブロック工法）

盛土本体の重量を軽減し，沈下量を低減させる工法で，盛土材に発泡スチロールブロック，軽石，スラグなどを使用する。

⑧ 緩速載荷工法

時間をかけゆっくりと盛土を仕上げる工法であり，圧密進行に伴って増加する地盤のせん断強さを期待する工法。

⑨ 地下水位低下工法

地下水位を低下させることによって， 圧密を促進し， 地盤の強度増加を図る工法。

⑩ 掘削置換工法

軟弱層の一部または全部を除去し，良質材で置き換える工法。

解答欄には，年度毎に出題された問題の中から2つを選び，工法名とその工法の特徴を，解答欄に納まるように記述する。

問題2 □□□

軟弱な基礎地盤に盛土を行う場合に，盛土の沈下対策又は盛土の安定性の確保に効果のある工法名を5つ解答欄に記入しなさい。

ただし，解答欄の記入例と同一内容は不可とする。　H27［問題3］出題

解答欄

工法名；

固結工法（記入例）

1．

2．

3．

4．

5．

解説

本項で学んだ，軟弱地盤対策工法［表2］に記載したものは，盛土の沈下対策（全沈下量の低減・圧密沈下の促進）又は盛土の安定性の確保（せん断変形の抑制・強度低下の抑制・地盤強度の増加・強度増加の促進）のいずれかの効果に該当するものが多く，複数の効果が期待されるものも多い。

主として盛土の沈下対策に効果のあるものは，

① 盛土載荷重工法（プレロード工法など）
② バーチカルドレーン工法（サンドドレーン工法など）
③ 地下水位低下工法（ウェルポイント工法など）
④ サンドコンパクションパイル工法
⑤ 固結工法（深層混合処理工法，石灰パイル工法など）
⑥ 荷重軽減工法（軽量盛土工法）

などがあり，盛土の安定性の確保に効果のあるものは，

① 緩速載荷工法
② 固結工法（深層混合処理工法，石灰パイル工法など，沈下対策と重複）
③ 置換工法（掘削置換工法など）

④　荷重軽減工法（軽量盛土工法など，沈下対策と重複）
⑤　盛土補強工法
⑥　押え盛土工法

などがある。したがって，解答は上記のうちから5つ（解答欄の記入例を除く。）を選び，工法名を記入する。

切土の施工（施工・のり面保護工）

・切土の施工に当たっては**地質**の変化に注意を払い，当初予想された**地質**以外が現れた場合，ひとまず施工を中止する。
・切土土工機械の選定にあたっては，土の種類，**土質**条件，地下水の状況，工事量，運搬距離，機械作業の内容等，工事条件に適した合理的な検討を行う。
・切土のり面の施工にあたっては，丁張にしたがって**仕上げ面**から**余裕**をもたせて本体を掘削し，その後のり面を仕上げるのがよい。
・露出した切土のり面は，施工中，雨水などによる表面水により**浸食**されやすい。切土部は，常に**表面排水**を考え，横断方向に勾配をとり，掘削断面の両側の排水溝で雨水を排除する。
・切土高が高くなるときは，**土質**，岩質，切土高（法面の規模），のり面勾配に応じて**小段**を設ける。
・施工中にも，雨水等によるのり面**浸食**や崩落・落石等が発生しないように，一時的なのり面の**排水**，のり面保護，落石防止を行うのがよい。また，掘削終了を待たずに切土の施工段階に応じて順次**上方**から保護工を施工する。
・ビニールシートや土のう等の組合わせにより**のり面排水工**に準じ仮排水路を**法肩**の上や小段に設け，これを集水して**縦排水路**で排水し，できるだけ切土部への水の浸透を防止するとともにのり面を雨水等が流れないようにする。
・亀裂の多い岩盤のり面や礫等の**浮石**の多いのり面では，仮設の落石防護網や落石防護**柵**を施すこともある。
・露出することにより**風化**の早く進む岩は，できるだけ早くコンクリートや**モルタル**吹付けなどの工法による処置を行う。施工中の一時的な法面保護は，法面全体をビニールシートで被覆したり，**モルタル吹付**により法面を保護することもある。
・盛土法面における法面保護工の選定にあたっては，法面の長期的な安定性確保とともに自然環境の保全や修景を主目的とする点から，まず法面**緑化**工の適用について検討することが望ましい。

のり面保護

のり面保護工は，法面の風化，浸食を防止し，のり面の安定を図るもので次の2種類に大きく大別される。主な工種と目的を表に示す。

① 植物を用いてのり面を保護する植生工

② コンクリートや石材などの構造物による保護工

工　種		目的・特徴
植生工	種子散布(客土吹付)工，張芝工，植生マット（シート）工	浸食防止 植生・緑化（景観形成）
	植生筋工，植生土のう工	
構造物によるのり面保護工	モルタル･コンクリート吹付工，石張工，ブロック張工	浸食防止
	編柵工(あみしがら工)，じゃかご工	法面表層の崩落防止 侵食や湧水による土砂流出抑制 土圧対策【小】
	コンクリート張工，吹付け枠工，現場打ちコンクリート枠工	
	石積工，ブロック積擁壁工，ふとんかご工	ある程度の土圧に対抗 土圧対策【中】
	井桁組擁壁工，コンクリート擁壁工	
	補強土工，ロックボルト工，グラウンドアンカー工，杭工	すべり土塊の滑動力に対抗 土圧対策【大】

(1) 各種のり面保護工の概要と施工上の留意点

植生工		工法の概要
種子散布工	種子，肥料，ファイバーなどのスラリー全面散布	種子・肥料・木質材料（ファイバー）を混合し，低粘度スラリー状に吹き付ける工法。 のり面勾配がゆるく透水性のよい安定した土砂の盛土法面に適している。 法面の浸食防止，および凍上崩落を抑制する。

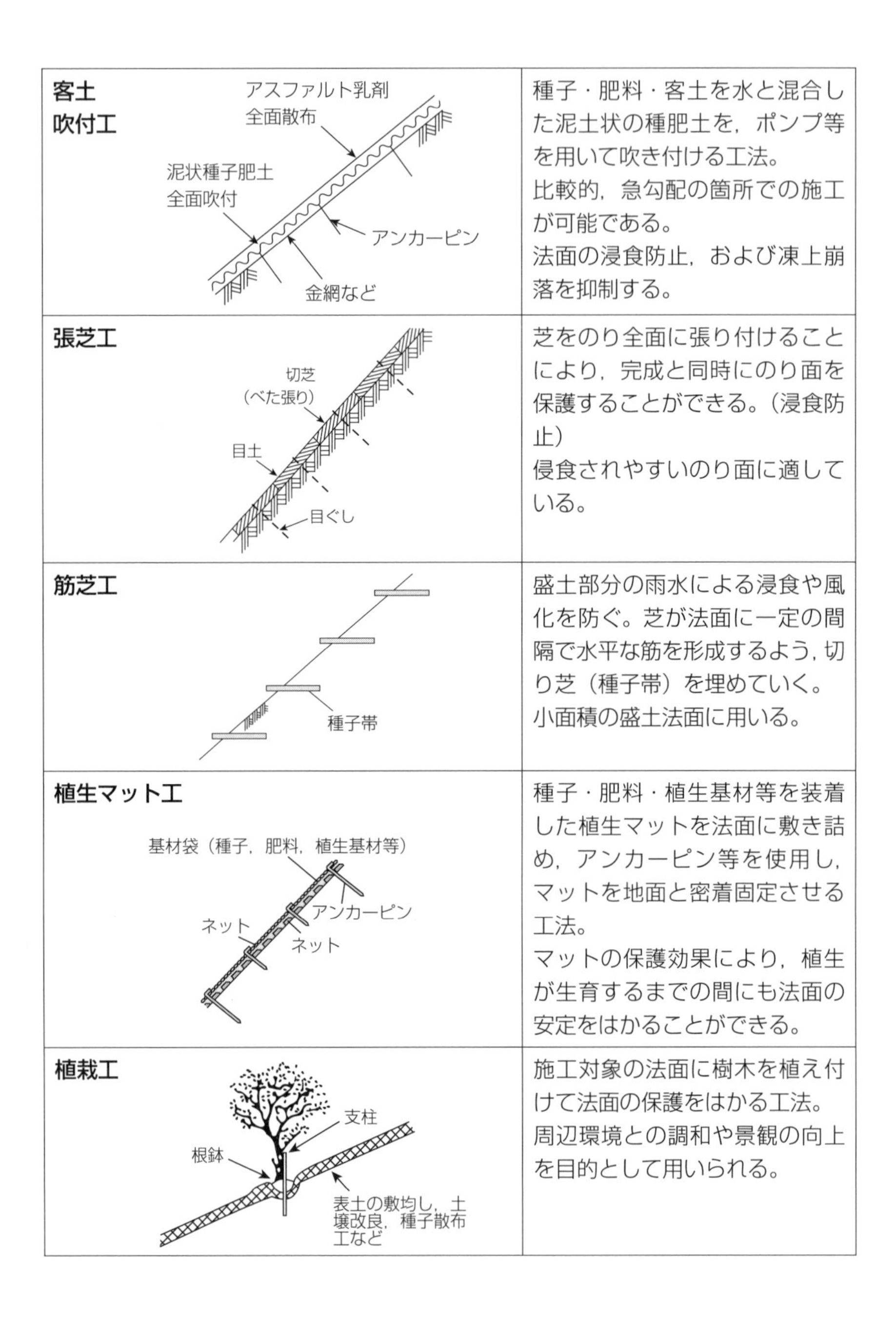

工法	概要
客土吹付工	種子・肥料・客土を水と混合した泥土状の種肥土を，ポンプ等を用いて吹き付ける工法。 比較的，急勾配の箇所での施工が可能である。 法面の浸食防止，および凍上崩落を抑制する。
張芝工	芝をのり全面に張り付けることにより，完成と同時にのり面を保護することができる。（浸食防止） 侵食されやすいのり面に適している。
筋芝工	盛土部分の雨水による浸食や風化を防ぐ。芝が法面に一定の間隔で水平な筋を形成するよう，切り芝（種子帯）を埋めていく。 小面積の盛土法面に用いる。
植生マット工	種子・肥料・植生基材等を装着した植生マットを法面に敷き詰め，アンカーピン等を使用し，マットを地面と密着固定させる工法。 マットの保護効果により，植生が生育するまでの間にも法面の安定をはかることができる。
植栽工	施工対象の法面に樹木を植え付けて法面の保護をはかる工法。 周辺環境との調和や景観の向上を目的として用いられる。

構造物によるのり面保護工	工法の概要
じゃかご工 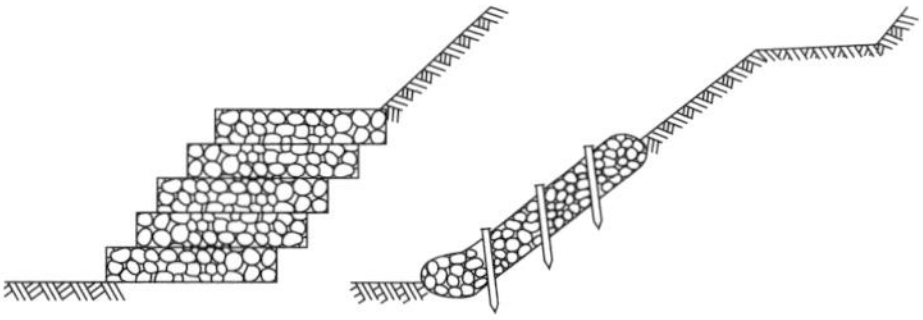 ふとんかご　じゃかご	鉄線（および竹材）で編んだ籠に玉石や栗石を詰め込んだもので，斜面の補強に使用される。 法面に湧水があり土砂の流出の恐れがある場合に用いられる。 （**角型じゃかご**を**ふとんかご**と言い，法面保護よりも土留め用として用いられる）
モルタル・コンクリート吹付工 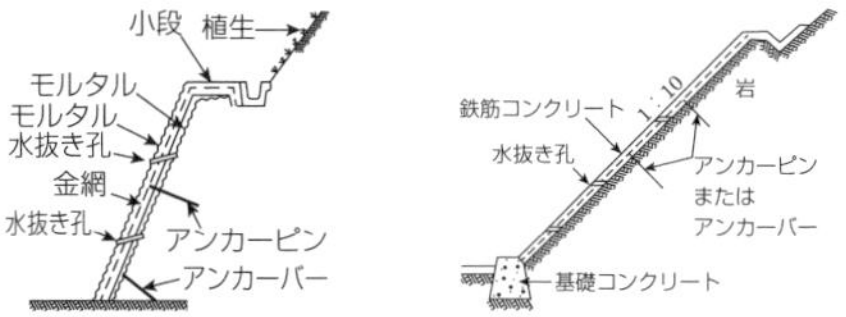 小段　植生　モルタル　モルタル　水抜き孔　金網　水抜き孔　アンカーピン　アンカーバー 鉄筋コンクリート　1：10　岩　水抜き孔　アンカーピンまたはアンカーバー　基礎コンクリート	ラス金網上にコンプレッサーの圧縮空気でモルタル・コンクリートを吹付ける工法。 亀裂の多い岩の法面における風化やはく落，崩壊を防ぐ。
プレキャスト枠工  1：1.2　コンクリート部材　すべり止め杭や鉄筋　基礎	プラスチック，コンクリート等のプレキャスト枠を，アンカーピン等で固定し，雨水等の侵食から法面を保護する工法。
現場打ちコンクリート枠工 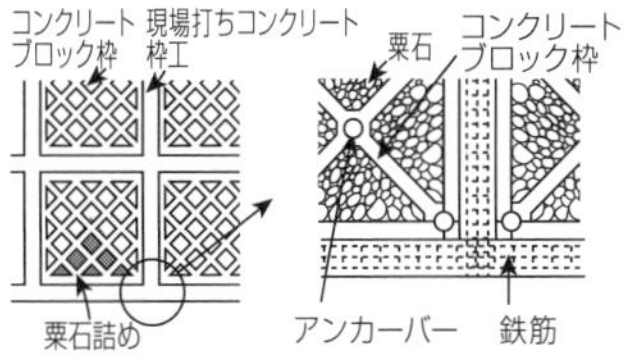 コンクリートブロック枠　現場打ちコンクリート枠工　栗石詰め 栗石　コンクリートブロック枠　アンカーバー　鉄筋	法面に格子状の型枠を設置し，コンクリートポンプなどでコンクリートを打設し法面を保護する工法。 湧水を伴う風化岩やのり面の安定性に不安があるのり面等で用いられる。
ブロック積擁壁工 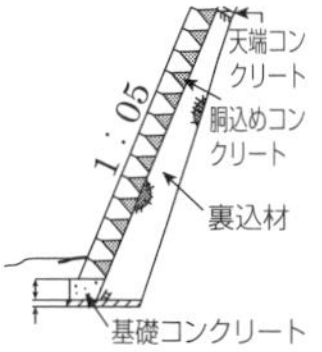 1：05　天端コンクリート　胴込めコンクリート　裏込材　基礎コンクリート	間知ブロックを1列ずつ積み上げながら裏込めコンクリート等で一体化させた土留め擁壁である。 コンクリートブロックを，1：1.0より急な法面に施工する。 背面の地山が締まっている切土，比較的良質の裏込め土で十分に締固めがされている盛土など土圧が小さい場合に適用する。

関連問題&よくわかる解説

問題1 □□□

切土法面の施工に関する次の文章の［　　］の（イ）～（ホ）に当てはまる適切な語句を，下記の語句から選び解答欄に記入しなさい。

R5［問題4］出題

(1) 切土の施工に当たっては［　イ　］の変化に注意を払い，当初予想された［　イ　］以外が現れた場合，ひとまず施工を中止する。

(2) 切土法面の施工中は，雨水等による法面浸食や［　ロ　］・落石等が発生しないように，一時的な法面の排水，法面保護，落石防止を行うのがよい。

(3) 施工中の一時的な切土法面の排水は，仮排水路を［　ハ　］の上や小段に設け，できるだけ切土部への水の浸透を防止するとともに法面を雨水等が流れないようにすることが望ましい。

(4) 施工中の一時的な法面保護は，法面全体をビニールシートで被覆したり，［　ニ　］により法面を保護することもある。

(5) 施工中の一時的な落石防止としては，亀裂の多い岩盤法面や礫等の浮石の多い法面では，仮設の落石防護網や落石防護［　ホ　］を施すこともある。

［語句］

土地利用，	看板，	平坦部，	地質，	柵，
監視，	転倒，	法肩，	客土，	N値，
モルタル吹付，	尾根，	飛散，	管，	崩壊

解説

「道路土工―切土工・斜面安定工指針」より。

(1) 切土の施工に当たっては［**地質**］の変化に注意を払い，当初予想された［地質］以外が現れた場合，ひとまず施工を中止する。

(2) 切土法面の施工中は，雨水等による法面浸食や［**崩壊**］・落石等が発生しないように，一時的な法面の排水，法面保護，落石防止を行うのがよい。

(3) 施工中の一時的な切土法面の排水は，仮排水路を［**法肩**］の上や小段に設け，できるだけ切土部への水の浸透を防止するとともに法面を雨水等が流れないようにすることが望ましい。
(4) 施工中の一時的な法面保護は，法面全体をビニールシートで被覆したり，［**モルタル吹付**］により法面を保護することもある。
(5) 施工中の一時的な落石防止としては，亀裂の多い岩盤法面や礫等の浮石の多い法面では，仮設の落石防護網や落石防護［**柵**］を施すこともある。
したがって，解答は以下の通りである。

解答

(イ)	(ロ)	(ハ)	(ニ)	(ホ)
地質	崩壊	法肩	モルタル吹付	柵

問題2 □□□

切土法面の施工における留意事項に関する次の文章の［　　］の（イ）～（ホ）に当てはまる適切な語句を，下記の語句から選び解答欄に記入しなさい。

R 2［問題 2］出題

(1) 切土法面の施工中は，雨水などによる法面浸食や崩壊，落石などが発生しないように，一時的な法面の［　イ　］，法面保護，落石防止を行うのがよい。
(2) 切土法面の施工中は，掘削終了を待たずに切土の施工段階に応じて順次［　ロ　］から保護工を施工するのがよい。
(3) 露出することにより［　ハ　］の早く進む岩は，できるだけ早くコンクリートや［　ニ　］吹付けなどの工法による処置を行う。
(4) 切土法面の施工に当たっては，丁張にしたがって仕上げ面から［　ホ　］をもたせて本体を掘削し，その後法面を仕上げるのがよい。

［語句］

風化，	中間部，	余裕，	飛散，	水平，
下方，	モルタル，	上方，	排水，	骨材，
中性化，	支持，	転倒，	固結，	鉄筋

土工

解説

「道路土工－切土工・斜面安定工指針」より

⑴ 切土法面の施工中は，雨水などによるのり面浸食や崩壊，落石などが発生しないように，一時的なのり面の［**排水**］，法面保護，落石防止を行うのがよい。

⑵ 切土法面の施工中は，掘削終了を待たずに切土の施工段階に応じて順次［**上方**］から保護工を施工するのがよい。

⑶ 露出することにより［**風化**］の早く進む岩は，できるだけ早くコンクリートや［**モルタル**］吹付けなどの工法による処置を行う。

⑷ 切土法面の施工に当たっては，丁張にしたがって仕上げ面から［**余裕**］をもたせて本体を掘削し，その後のり面を仕上げるのがよい。

解答

(イ)	(ロ)	(ハ)	(ニ)	(ホ)
排水	上方	風化	モルタル	余裕

問題３ □□□

切土法面の施工に関する次の文章の［　　］の（イ）～（ホ）に当てはまる適切な語句を，下記の［語句］から選び解答欄に記入しなさい。

H25［問題 2－1］出題

⑴ 切土法面の施工中は，雨水などによる法面［　イ　］や崩壊・落石などが発生しないように一時的な法面の排水，法面保護，落石防止を行う。また，掘削終了を待たずに切土の施工段階に応じて順次［　ロ　］から保護工を施工するのがよい。

⑵ 一時的な切土法面の排水は，ビニールシートや土のうなどの組合せにより，仮排水路を［　ハ　］の上や小段に設け，雨水を集水して［　ニ　］で法尻へ導いて排水し，できるだけ切土部への水の浸透を防止するとともに法面に雨水などが流れないようにすることが望ましい。

⑶ 法面保護は，法面全体をビニールシートなどで被覆したり，モルタル吹付けにより法面を保護することもある。

⑷ 落石防止としては，亀裂の多い岩盤や礫などの［　ホ　］の多い法

面では，仮設の落石防護網や落石防護柵を施工することもある。

［語句］

飛散，	縦排水路，	転倒，	中間部，	法肩，
上方，	傾斜面，	浸食，	水平排水孔，	浮石，
植生工，	地下水，	地下排水溝，	下方，	乾燥

解説

⑴　施工中にも，雨水等によるのり面［**浸食**］や崩落・落石等が発生しないように，一時的なのり面の排水，のり面保護，落石防止を行うのがよい。また，掘削終了を待たずに切土の施工段階に応じて順次［**上方**］から保護工を施工するのがよい。

⑵　ビニールシートや土のう等の組合わせにより，のり面排水工に準じ仮排水路を［**法肩**］の上や小段に設け，これを集水して［**縦排水路**］で排水し，できるだけ切土部への水の浸透を防止するとともにのり面を雨水等が流れないようにすることが望ましい。

⑶　のり面全体をビニールシート等で被覆したり，モルタル吹付によりのり面を保護することもある。

⑷　亀裂の多い岩盤のり面や礫等の［**浮石**］の多いのり面では，仮設の落石防護網や落石防護柵を施すこともある。

解答

(イ)	(ロ)	(ハ)	(ニ)	(ホ)
浸食	上方	法肩	縦排水路	浮石

問題4 □□□

切土の施工に関する次の文章の［　　　］の（イ）～（ホ）に当てはまる適切な語句を，下記の語句から選び解答欄に記入しなさい。

H29［問題 2］出題

⑴　施工機械は，地質・［　イ　］条件，工事工程などに合わせて最も効率的で経済的となるよう選定する。

⑵　切土の施工中にも，雨水による法面［　ロ　］や崩壊・落石が発生しないように，一時的な法面の排水，法面保護，落石防止を行うのがよい。

⑶　地山が土砂の場合の切土面の施工にあたっては，丁張にしたがって［　ハ　］から余裕をもたせて本体を掘削し，その後，法面を仕上げるのがよい。

⑷　切土法面では［　イ　］・岩質・法面の規模に応じて，高さ5～10 mごとに1～2m幅の［　ニ　］を設けるのがよい。

⑸　切土部は常に［　ホ　］を考えて適切な勾配をとり，かつ切土面を滑らかに整形するとともに，雨水などが湛水しないように配慮する。

［語句］

浸食,	親綱,	仕上げ面,	日照,	補強,
地表面,	水質,	景観,	小段,	粉じん,
防護柵,	表面排水,	越水,	垂直面,	土質

解説

⑴　土工機械の選定にあたっては，土の種類，［**土質**］条件，地下水の状況，工事量，運搬距離，機械作業の内容など，工事条件に適した合理的な検討を行う必要がある。

⑵　露出した切土のり面は，施工中，雨水などによる表面水により［**浸食**］されやすいので，本工事の排水施設を施工するまでの間は，法肩や小段に仮排水工を設けて表面水を排出する。

⑶　土砂の切土のり面施工にあたっては，丁張りにしたがって［**仕上げ面**］から余裕を持たせて本体を掘削し，その後のり面を仕上げ面まで丁寧に掘削して仕上げるのが良い。

⑷　切土高が高くなるときは，［**土質**］，岩質，切土高（のり面の規模），のり面勾配に応じて［**小段**］を設ける。

⑸　切土部は，常に［**表面排水**］を考え，横断方向に勾配をとり，掘削断面の両側の排水溝で雨水を排除する。

解答

(イ)	(ロ)	(ハ)	(ニ)	(ホ)
土質	浸食	仕上げ面	小段	表面排水

問題５ □□□

盛土や切土の法面を被覆し，法面の安定を確保するために行う法面保護工の工法名を５つ解答欄に記述しなさい。ただし，解答欄の記入例と同一内容は不可とする。

H28［問題 3］出題

解答欄

工法名

（記入例）	場所打ちコンクリート枠工
1．	
2．	
3．	
4．	
5．	

解説

種子散布（客土吹付）工，張芝工，植生マット（シート）工，植生筋工，植生土のう工，モルタル・コンクリート吹付工，石張工，ブロック張工，編柵工（あみしがら工），じゃかご工，コンクリート張工，吹付け枠工，現場打ちコンクリート枠工，石積工，ブロック積擁壁工，ふとんかご工，井桁組擁壁工，コンクリート擁壁工，補強土工，ロックボルト工，グラウンドアンカー工，杭工等から，５つを選び，解答欄に記述する。

問題6 □□□

植生による法面保護工と構造物による法面保護工について，それぞれ1つずつ工法名とその目的又は特徴について解答欄に記述しなさい。

ただし，解答欄の（例）と同一内容は不可とする。 R 1［問題 3］出題

解答欄

工法名

1.	植生工	工法名	
		目的・特徴	
2.	構造物工	工法名	
		目的・特徴	

解説

P. 73～75に記載している「のり面保護」「(1) 各種のり面保護工の概要と施工上の留意点」の中から植生工，構造物工からそれぞれ 1 つ選んで解答欄に，工法の目的・特徴を簡潔に記述してください。

建設機械

過去に出題された建設機械一覧

建設機械名	主な特徴（用途，機能など）
★ブルドーザ	・**掘削，運搬，伐開除根，敷均し，整地，締固め**作業に使用される。 ・クローラ式，ホイル式があり，各種地盤に適用する。 ・車体を前後に直進させて作業する。 ・**短距離（60m 以下）の土砂の掘削・運搬**に適する。
バックホウ	・**掘削，積込み**，伐開除根作業に使用される。 ・バケットを下向きに取付け，バケットを車体に引き寄せて掘削する方式で，**機械が設置された地盤よりも低い所を掘削**するのに適している。 ・硬い土質をはじめ各種土質の掘削に適用する。 ・垂直掘りや底ざらいなど正確に掘れるので，ビルの根切り，**溝堀り，法面の整形**に適する。
★トラクターショベル（ローダ）	・**掘削・積込み**作業に使用される。 ・車体前部のバケット装置ですくい込みする。 ・**機械の位置より高い場所**の掘削に適する。 ・ほぐされた軟らかい土質や除雪に適用する。
★クラムシェル	・水中・オープンケーソンの掘削，ウェル等の基礎掘削作業に使用される。 ・ビルの根切り・河床海底の**浚渫作業**に使用される。 ・**機械の位置より低い場所の掘削**に使用される。 ・機械式と油圧式がある。
★モータースクレーパ	・**掘削・積込み・長距離運搬・敷均し作業を一貫**して行う。 ・大規模土工に適する。 ・長距離（200～1200m 程度）の掘削・運搬に適する。

モーターグレーダ	・グラウンド建設，建設現場，仮設道路維持，砂利道補修，除雪などの作業に使用される。 ・道路建設では，舗装の仕上げを左右する**路床・路盤の材料混合，散土や整形**の作業を行う。 ・ブレード長さ以下の低いのり面の整形に使用される。 ・一定の排水勾配をつけて**広い整地**をするほか，投入材料の散上等の作業に使用される。 ・路面の凸部を切削して平滑にしたり，排水側溝を掘削，整形したりする作業に使用する。 ・敷均しをはじめとした仕上げ作業において高い精度が出せる機械である。
振動ローラ	・**起振力**によって自重以上の転圧力を得る機械であり，**小型でも大きな締固め度**が得られる。 ※振動によって土の**粒子**を密な配列に移行させ，小さな重量で大きな締固め効果が得られる。 ・高**含水比**粘性土を除く，砂質土，軟岩等さまざまな土質に適応できる。(**粘性**に乏しい砂利や砂質土の締固めに大きな効果がある。) ・振動により締固め効果が深層まで及ぶので材料の層の敷均し厚さを厚くできる。 ・起振力，振動数，振幅，走行速度を変えることにより材料の性状に応じた締固めができる。
タイヤローラ	・**締固め作業**に使用される。 ・アスファルト混合物，路盤，路床の締固めに適する。 ・機動性に優れ比較的広範囲な材料の締固めに適応できる。 ・タイヤの**接地圧**は載荷重及び空気圧により変化させることができ，**バラスト**（水，または鉄等の重り）を載荷することによって，総重量（輪荷重）を変えることができる。

★印は H19年以降で2回以上出題された建設機械

関連問題&よくわかる解説

問題１ □□□

盛土の締固め作業及び締固め機械に関する次の文章の［　　　］の（イ）～（ホ）に当てはまる適切な語句を，次の語句から選び解答欄に記入しなさい。

R３［問題４］出題

⑴　盛土全体を［　イ　］に締め固めることが原則であるが，盛土［　ロ　］や隅部（特に法面近く）等は締固めが不十分になりがちであるから注意する。

⑵　締固め機械の選定においては，土質条件が重要なポイントである。すなわち，盛土材料は，破砕された岩から高［　ハ　］の粘性土にいたるまで多種にわたり，同じ土質であっても［　ハ　］の状態等で締固めに対する適応性が著しく異なることが多い。

⑶　締固め機械としての［　ニ　］は，機動性に優れ，比較的種々の土質に適用できる等の点から締固め機械として最も多く使用されている。

⑷　振動ローラは，振動によって土の粒子を密な配列に移行させ，小さな重量で大きな効果を得ようとするもので，一般に［　ホ　］に乏しい砂利や砂質土の締固めに効果がある。

［語句］

水セメント比，	改良，	粘性，	端部，	生物的，
トラクタショベル，	耐圧，	均等，	仮設的，	塩分濃度，
ディーゼルハンマ，	含水比，	伸縮部，	中央部，	タイヤローラ

解説

「道路土工―道路土工指針」より。

⑴　盛土全体を［**均等**］に締め固めることが原則であるが，盛土［**端部**］や隅部（特に法面近く）等は締固めが不十分になりがちであるから注意する。

⑵　締固め機械の選定においては，土質条件が重要なポイントである。すなわち，盛土材料は，破砕された岩から高［**含水比**］の粘性土にいたるまで多種にわたり，同じ土質であっても［**含水比**］の状態等で締固めに対する適応性が著しく異なることが多い。

⑶ 締固め機械としての［**タイヤローラ**］は，機動性に優れ，比較的種々の土質に適用できる等の点から締固め機械として最も多く使用されている。

⑷ 振動ローラは，振動によって土の粒子を密な配列に移行させ，小さな重量で大きな効果を得ようとするもので，一般に［**粘性**］に乏しい砂利や砂質土の締固めに効果がある。

解答

(イ)	(ロ)	(ハ)	(ニ)	(ホ)
均等	端部	含水比	タイヤローラ	粘性

問題２ □□□

盛土の締固め作業及び締固め機械に関する次の文章の［　　　］の（イ）～（ホ）に当てはまる適切な語句を，下記の語句から選び解答欄に記入しなさい。

H28［問題 2］出題

⑴ 盛土材料としては，破砕された岩から高含水比の［　イ　］にいたるまで多種にわたり，また，同じ土質であっても［　ロ　］の状態で締固めに対する方法が異なることが多い。

⑵ 締固め機械としてのタイヤローラは，機動性に優れ，種々の土質に適用できるなどの点から締固め機械として最も多く使用されている。一般に砕石等の締固めには，［　ハ　］を高くして使用している。施工では，タイヤの［　ハ　］は載荷重及び空気圧により変化させることができ，［　ニ　］を載荷することによって総重量を変えることができる。

⑶ 振動ローラは，振動によって土の［　ホ　］を密な配列に移行させ，小さな重量で大きな効果を得ようとするもので，一般に粘性に乏しい砂利や砂質土の締固めに効果がある。

［語句］

バラスト，	扁平率，	粒径，	鋭敏比，	接地圧，
透水係数，	粒度，	粘性土，	トラフィカビリティ，	砕石，
岩塊，	含水比，	耐圧，	粒子，	バランス

解説

「道路土工指針」より。

⑴　盛土材料としては，（可能な限り現地発生土を有効利用することを原則とするため，）破砕された岩から高含水比の［**粘性土**］にいたるまで多種にわたる。

また，同じ土質であっても［**含水比**］の状態で（例えば高含水比粘性土について適切な排水層やジオテキスタイル等を用いた施工法あるいは安定処理を施すなど）締固めに対する方法が異なることが多い。

⑵　締固め機械のタイヤローラは，機動性に優れ，比較的種々の土質に適応できるなどの点から，土の締固め機械として最も多く使用されている。一般に砕石などの締固め時には，［**接地圧**］を高くして使用し，粘性土の場合は，接地圧を低くして使用している。タイヤの［**接地圧**］は載荷重及び空気圧により変化させることができ，［**バラスト**］（水，または鉄等の重り）を載荷することによって，総重量を変えることができる。

⑶　振動ローラは，ローラに起振機を組み合わせ，振動によって土の［**粒子**］を密な配列に移行させ，小さな重量で大きな締固め効果を得ようとするものであり，一般に粘性に乏しい砂利や砂質土の締固めに効果があるとされている。

解答

（イ）	（ロ）	（ハ）	（ニ）	（ホ）
粘性土	含水比	接地圧	バラスト	粒子

問題3 □□□

次の建設機械の中から2つ選び，その主な特徴（用途，機能）を解答欄に記述しなさい。
※各年度5つの機械名が出題されます。 H25・H22・H19［問題 2－2］出題

出題年度

・ブルドーザ……………………………H25，H22，（H19；リッパ付き）
・振動ローラ……………………………H25
・クラムシェル…………………………H25，H19
・トラクターショベル（ローダ）……H25，H22
・モーターグレーダ……………………H25
・バックホウ……………………………H22
・モータースクレーパ…………………H22，H19
・タイヤローラ…………………………H22

解答欄

1．機械名；

用途又は機能；

2．機械名；

用途又は機能；

解説

P. 83，84 **表　過去に出題された建設機械一覧**で解説した中から該当する建設機械を2つ選び，その特徴をそれぞれ1つ簡潔に解答欄に過不足の無いように記述する。

第3章 コンクリート

出題概要

出題問題数	出題内容	出題形式
1～2 問	配合（混和剤）・施工（打込み・締固め・養生・打継目）・鉄筋，型枠の組立等	穴埋め問題，記述式問題（施工上の留意点，材料の使用目的，用語の説明等），間違い訂正問題

出題パターン（出題予想）

<table>
<tr><th></th><th>混和材</th><th>施工</th><th>打継目</th><th>養生</th><th>鉄筋・型枠の組立</th><th>用語</th></tr>
<tr><td>令和6年度</td><td>○</td><td>◎</td><td>○</td><td>○</td><td>△</td><td>△</td></tr>
<tr><td>令和5年度</td><td></td><td></td><td></td><td></td><td>穴埋め</td><td>記述</td></tr>
<tr><td>令和4年度</td><td></td><td></td><td></td><td>穴埋め</td><td></td><td></td></tr>
<tr><td>令和3年度</td><td></td><td>記述</td><td colspan="2">穴埋め</td><td></td><td></td></tr>
<tr><td>令和2年度</td><td></td><td colspan="3">穴埋め</td><td></td><td>記述</td></tr>
<tr><td>令和元年度</td><td></td><td>間違訂正</td><td></td><td></td><td>穴埋め</td><td></td></tr>
<tr><td>平成30年度</td><td></td><td>穴埋め</td><td></td><td>穴埋め</td><td></td><td>記述</td></tr>
<tr><td>平成29年度</td><td></td><td></td><td>穴埋め</td><td></td><td></td><td>記述</td></tr>
<tr><td>平成28年度</td><td>穴埋め</td><td></td><td></td><td></td><td>記述</td><td></td></tr>
<tr><td>平成27年度</td><td></td><td></td><td></td><td>記述</td><td>穴埋め</td><td></td></tr>
<tr><td>平成26年度</td><td></td><td></td><td>穴埋め</td><td></td><td></td><td>記述</td></tr>
<tr><td>平成25年度</td><td></td><td>穴埋め</td><td></td><td></td><td>記述</td><td></td></tr>
<tr><td>平成24年度</td><td></td><td>記述</td><td></td><td></td><td></td><td>記述</td></tr>
</table>

※ここに記載しているものは，過去問題の傾向と対策であり，実際の試験ではこの傾向通り出題されるとは限りません。

コンクリートの基本概要

コンクリートとは，セメント，水，骨材および必要に応じて加える混和材料を構成材料とし，これらを練混ぜて一体化したものをいう。コンクリートは，セメントと水が**水和反応（発熱）**することによって硬化する水硬性材料である。そのため，**使用時の温度が高い**ほど凝結は早くなり，**初期における強度発現は大きくなる**。また，**初期強度が大きくなると長期強度が小さくなり，初期強度の発生を抑えると長期強度は大きくなる**という特性を持っている。

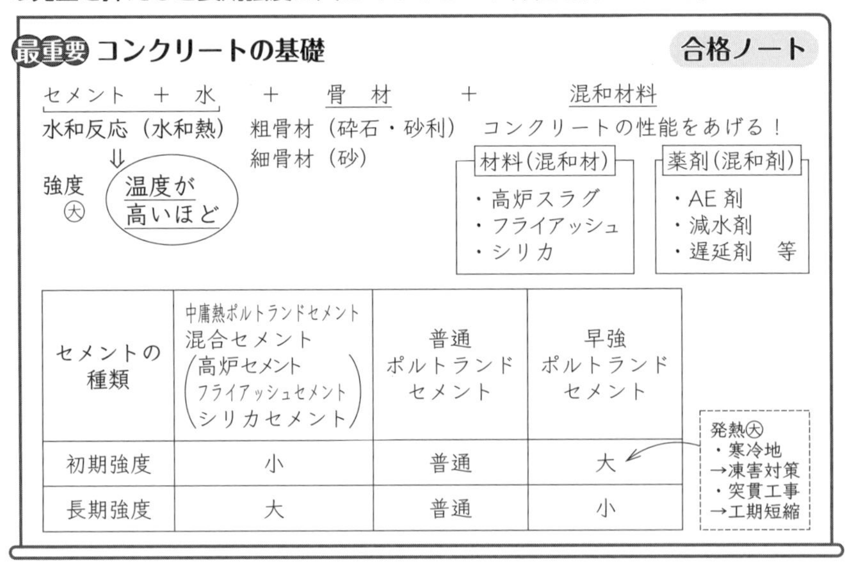

セメントの種類	中庸熱ポルトランドセメント 混合セメント （高炉セメント フライアッシュセメント シリカセメント）	普通ポルトランドセメント	早強ポルトランドセメント
初期強度	小	普通	大
長期強度	大	普通	小

セメント

セメントは，大別して**ポルトランドセメント**（普通，早強，超早強，中庸熱，低熱および耐硫酸塩）と**混合セメント**（高炉セメント，シリカセメント，フライアッシュセメント）とに分けられる。

(1) **ポルトランドセメント**

① **普通ポルトランドセメント**…特殊な目的で製造されたものではなく，土木，建築工事やセメント製品に最も多量に使用されている。

② **早強ポルトランドセメント**…普通ポルトランドセメントよりけい酸三カルシウムやせっこうが多く，**微粉砕されているので初期強度が大きい。冬期工事や寒冷地の工事**，および**早く十分な強度が望まれる工事に適している**。また，初期強度を要するプレストレストコンクリート工事などに使用される。

③　**中庸熱ポルトランドセメント**…普通ポルトランドセメントより，アルミン酸三石灰（C3A）が少なく，けい酸二石灰（C2S）が多いため，**初期の発熱を抑制し長期強度を高める**。そのため，ダムのような**マスコンクリートに多く使用**される。

⑵　**混合セメント（ポルトランドセメントに混和材を添加）**

①　**高炉セメント**…ポルトランドセメントに**高炉**スラグを混合したセメントである。**早期の強度発現が緩慢**で湿潤養生期間を長くする必要があるが，**長期にわたり強度の増進**がある。**化学抵抗性が大きく**，水和熱が小さいのに加え**アルカリ骨材反応抑制対策**として使用されるなどの特徴を有する。

②　**シリカセメント**…ポルトランドセメントに天然の**シリカ質混合材**（火山灰，凝灰岩，けい酸白土などの粉末）を混合したものである。ポゾラン反応性により**長期にわたる強度の増進が大きく**，化学抵抗性も大きい等の特徴を有し，水和熱も低い。単位水量が多くなり，**乾燥収縮がやや大きいため**，減水剤を併用するなど**ひび割れに注意**する必要がある。

③　**フライアッシュセメント**…ポルトランドセメントに**フライアッシュ**を混合したものである。**ワーカビリティー**が向上し，単位水量を低減できる。早期強度は小さいが長期の強度の増進が大きい，化学抵抗性が大きい，水和熱が低い，乾燥収縮が少ない等の特徴を有する。ダムなど**マスコンクリートに主として用いられている**。

混和材料

混和材料（混和剤・混和材）とは，主にコンクリートの施工性，強度，耐久性など，コンクリートの性能を改善するために使用する材料である。

混和材料と使用目的

混和材料	使用目的
膨張材	・硬化過程においてコンクリートを**膨張させることにより収縮率を小さく**する。 ・乾燥収縮や硬化収縮等に起因する**ひび割れの発生を低減**させる，あるいは，ひび割れ耐力を向上させる。
AE 剤	・コンクリートに**微細な空気泡を混入**させる。 ・**ワーカビリティーを改善**させる。 ・**耐凍害性を改善**させる。

コンクリート

減水剤	・**ワーカビリティーを向上**させる。 ・所要の**単位水量**および**単位セメント量を減少**させる。
高性能減水剤	・**大きな減水効果**が得られる。 ・**強度を著しく高める**ことが可能である。
高性能 AE 減水剤	・**単位水量を著しく減少**させる。 ・良好な**スランプ保持性**を有する。
流動化剤	・配合や硬化後の品質を変えることなく，**流動性を大幅に改善**させる。
急結剤	・コンクリートの**早期の強度を増進**させる。
鉄筋コンクリート用防せい剤	・海水，海砂等の塩分による**鉄筋の腐食を抑制**する。

関連問題&よくわかる解説

問題1 □□□

コンクリート用混和剤の種類と機能に関する次の文章の[　　]の(イ)～(ホ)に当てはまる適切な語句を，下記の語句から選び解答欄に記入しなさい。

H28[問題 4]出題

(1) AE 剤は，ワーカビリティー，[　イ　] などを改善させるものである。

(2) 減水剤は，ワーカビリティーを向上させ，所要の単位水量及び [　ロ　] を減少させるものである。

(3) 高性能減水剤は，大きな減水効果が得られ，[　ハ　] を著しく高めることが可能なものである。

(4) 高性能 AE 減水剤は，所要の単位水量を著しく減少させ，良好な [　ニ　] 保持性を有するものである。

(5) 鉄筋コンクリート用 [　ホ　] 剤は，塩化物イオンによる鉄筋の腐食を抑制させるものである。

[語句]

中性化，	単位セメント量，	凍結，	空気量，
強度，	コンクリート温度，	遅延，	スランプ，
粗骨材量，	塩化物量，	防せい，	ブリーディング，
細骨材率，	アルカリシリカ反応，	耐凍害性	

解説

混和材料は，セメント，水，骨材以外の材料で練り混ぜの際に必要に応じてコンクリートの成分として加え，コンクリートの性質を改善する材料で，使用量の多少によって混和剤と混和材に分けられる。混和剤は，使用量が少なく，それ自体の容積がコンクリートの練上がり容積に算入されないものをいい，混和材は使用量が比較的多く，それ自体の容積がコンクリートの練上がり容積に算入されるものをいう。

⑴ AE剤は，ワーカビリティー，［**耐凍害性**］などを改善させるものである。
⑵ 減水剤はワーカビリティーを向上させ所要の単位水量および［**単位セメント量**］を減少させるものである。
⑶ 高性能減水剤は，大きな減水効果が得られ，［**強度**］を著しく高めることが可能なものである。
⑷ 高性能AE減水剤は，所要の単位水量を著しく減少させ，良好な［**スランプ**］保持性を有するものである。
⑸ 鉄筋コンクリート用［**防せい**］剤は，塩化物イオンによる鉄筋の腐食を抑制させるものである。

解答

(イ)	(ロ)	(ハ)	(ニ)	(ホ)
耐凍害性	単位セメント量	強度	スランプ	防せい

問題2 □□□

次の混和材料の中から2つ選び，その使用目的を解答欄に記述しなさい。

H23［問題 3－2］出題

・膨張材
・AE剤
・流動化剤
・急結剤
・鉄筋コンクリート用防せい剤

解答欄

(1)	混和材料	
	使用目的	
(2)	混和材料	
	使用目的	

解説

混和材料	使用目的
膨張材	・硬化過程においてコンクリートを膨張させることにより乾燥収縮や硬化収縮等に起因するひび割れの発生を低減させる混和材である。
AE 剤	・コンクリートに微細な空気泡を混入させ，ワーカビリティーを改善し，耐凍害性を高める混和剤である。
減水剤	・所要の単位水量および単位セメント量を減少させ，ワーカビリティーを向上させる混和剤。
高性能減水剤	・大きな減水効果が得られ，強度を著しく高めることが可能となる混和剤である。
高性能 AE 減水剤	・単位水量を著しく減少させ，良好なスランプ保持性を有する混和剤である。
流動化剤	・配合や硬化後の品質を変えることなく，流動性を大幅に改善させる混和剤である。
急結剤	・コンクリートの早期の強度を増進させる混和剤である。発熱を伴うため，冬季工事における初期凍害防止に用いられる。
鉄筋コンクリート用防せい剤	・海水，海砂等の塩分による鉄筋の腐食を抑制するための混和剤である。

上記のコンクリートの混和材料の中から2つ選び，解答欄に簡潔に記述する。

施工・打ち継ぎ目処理

運搬

・コンクリートは，練り混ぜ後，速やかに運搬し，直ちに打ち込み，十分に締め固めることで所定の強度を確保する。練混ぜを開始してから打ち終わるまでの時間は，原則として外気温か25℃を超えるときで1.5時間，25℃以下のときで2時間以内を標準としている。

輸送・運搬時間の限度／許容打重ね時間間隔

練り混ぜ開始から荷卸しまで	練混ぜ開始から打設終了まで	許容打重ね時間間隔	外気温
1.5時間	1.5時間	**2.0時間**	**25℃を超える場合**
	2.0時間	2.5時間	**25℃以下の場合**

※許容打ち重ね時間間隔の詳細は，次項［打込み時の留意事項］に記載しています。

・シュートを用いる場合には，**縦シュートを用いることを標準**とし，シュートの構造及び使用方法は，コンクリートの材料分離が起こりにくいものでなければならない。

※**やむを得ず斜めシュートを用いる場合**には，シュートの傾きは，コンクリートが材料分離を起こさない程度のものであって，**水平2**に対して**鉛直1**程度を標準とする。また，斜めシュートを用いる場合には，シュートの吐き口に適当な漏斗管等を取り付けなければならない。縦シュートの下端とコンクリート打込み面との距離は**1.5m以下**としなければならない。

打込み時（準備）の留意事項

・型枠には，**はく離剤を塗布**し硬化したコンクリート表面からはがれ易くする。
・鉄筋，型枠等が施工計画で定められたとおりに配置されていることを確認する。
・コンクリートの打込み直前に，運搬装置，打込み設備および型枠の中を清掃して，木片やゴミ等が混入していないことを確認する。
・木製型枠や旧コンクリート等，乾いているとコンクリート内の水分を吸水し，品質を低下させるおそれがあるため，**散水し湿潤状態に保っておく**。また，型枠内に溜まった水は打込み前に除いてあることを確認する。

・コンクリートは型枠内で横移動させないよう，適切な位置にコンクリートを垂直に打込む。
・計画した打継目以外では，コンクリートの打込みが完了するまで連続して打ち込む。
・コンクリートは打上がり面がほぼ水平になるように打ち込む。
・**1層当たりの打込み高さを40〜50cm以下**とする。
・打上り速度は，一般の場合**30分当たり1.0〜1.5m程度を標準**とする。
※　高さのある壁・柱では，コンクリートの打ちあがり速度が速すぎると，型枠に作用する圧力が増加する。側圧を小さくするためには，打ち上がり速度は小さくする。
・コンクリートの打上がり面に集まった**ブリーディング水（レイタンス）**は，スポンジなどで水を取り除いてから次のコンクリートを打ち込む。
・打ち込んだコンクリートの粗骨材が分離してモルタル分の少ない部分があれば，分離した粗骨材をすくい上げモルタルの多い箇所に埋め込んで締め固める。ただし，著しい材料分離が認められた場合には，打ち込むのをやめ，後のコンクリート打込みのために材料分離の原因を調べて，これを防止する。
・2層以上に分けて打ち込む場合，上層と下層が一体となるように施工する。また，コールドジョイントが発生しないよう，施工区画の面積，コンクリートの供給能力，打重ね時間間隔（外気温25℃超の場合は2時間，25℃以下は2.5時間が標準）を定める。

用語解説

許容打重ね時間間隔…下層のコンクリートの打込みと締固めが完了した後，静置時間をはさんで上層コンクリートが打ち込まれるまでの時間。

コールドジョイント…コンクリートを層状に打ち込む場合に，先に打ち込んだコンクリートと後から打ち込んだコンクリートの間が，完全に一体化していない不連続面。

・コンクリートは適切な時期に**再振動**を行うと空隙や余剰水が少なくなり，強度・鉄筋との付着強度の増強・沈下ひび割れ防止に効果がある。再振動はコンクリート打設後，コンクリートの**締固めが可能な範囲で，できるだけ遅い**

時間がよい。

※　硬化を始めたコンクリートは練り直しても使用することはできない。

・スラブのコンクリートが柱や壁のコンクリートと連続している場合は，沈下ひび割れを防止するために，**柱や壁のコンクリートの沈下が落ち着いてからスラブのコンクリートを打設する。**

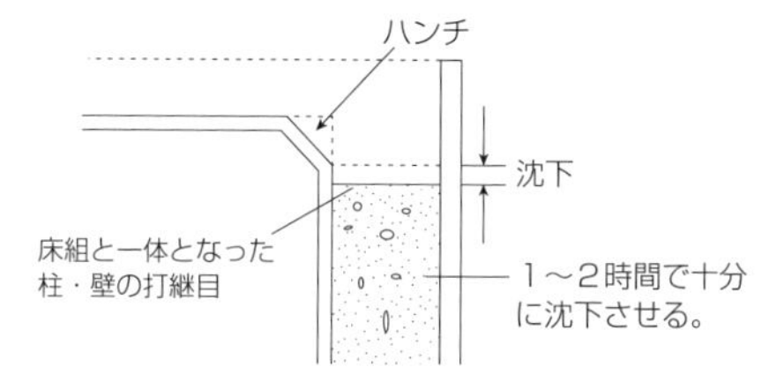

> **用語解説**　沈下ひび割れ…打設後，ブリーディング（材料分離）や締固め不足が原因で発生するひび割れ。鉄筋やセパレータ等の拘束物の上に直線的に発生するひび割れ。

・練混ぜから打終わりまでの時間は，外気温が25℃以下の時で2時間以内，25℃を超える時で1.5時間以内を標準とする。この時間を超えて打込む場合には，あらかじめコンクリートが所要の品質を確保できていることを確認した上で，時間の限度を定めなければならない。

締固め時の留意事項

・締固めは，打ち込まれたコンクリートからコンクリート中の空隙をなくし(エントラップトエアを追い出し)，できるだけ材料が分離しないようにし，鉄筋と十分に付着させ型枠の隅々まで充填させることで，密度の大きいコンクリートをつくる。

・コンクリートの締固めには棒状バイブレータ（内部振動機）を用いることを原則とする。棒状バイブレータの使用が困難な個所には型枠バイブレータ(型枠振動機）を用いる。

棒状バイブレータ（内部振動機）使用上の留意事項

・なるべく鉛直に差し込み，挿入間隔は，一般に**50**cm 以下にする。
・引抜きは徐々に行い，あとに穴が残らないようにする。
・内部振動機はコンクリートを材料分離の原因となる**横**移動を目的として使用してはならない。
・挿入時間（加振時間）の標準は，**5〜15**秒程度とする。
※コンクリートの十分な締固めは，表面に光沢が現われてコンクリート全体が均一に溶けあったようにみえるまで行う。
・型枠内に複層にわたってコンクリートを打ち込む場合には，下層と上層の一体性を確保（**コールドジョイント**を防止）できるように下層のコンクリートが固まり始める前（**許容打重ね時間間隔内**※）に上層のコンクリートを打ち込み，下層のコンクリート中に**10**cm 程度挿入する。

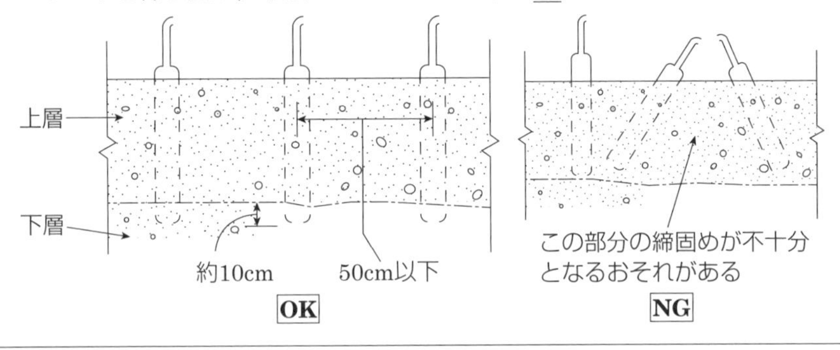

仕上げ

・仕上げとは，打込み，締固めがなされたフレッシュコンクリートの表面を平滑に整える作業のことである。
・滑らかで密実な表面を必要とする場合には，作業が可能な範囲で，**できるだけ遅い時期に金ごて**で押さえて仕上げる。
・打込んだコンクリートの仕上げ後，コンクリートが固まり始めるまでの間に発生したひび割れ（**沈下**ひび割れ）は，**タンピング**と再仕上げによって修復しなければならない。
・コンクリート打込み後，コンクリートの表面を急激に乾燥させるとひび割れの原因となるため，シートなどで**直射日光や風などによる水分が蒸発することを防ぐ**。

打継目

・コンクリートの打継目は，レイタンスの影響や新旧コンクリートの接着性が一体施工部よりも劣ることから，せん断強度や曲げ強度が低下する。このため，**漏水**やひび割れが発生しやすい。
・打継目は，できるだけ**せん断力**の小さな位置に設け，打継面を部材の圧縮力の作用方向と直交させるのを原則とする。

水平打継目の施工

① できるだけ**水平な直線**になるようにする。
② 打継目の処理としては，打継表面の処理時期を延長できる処理剤（凝結遅延材）を散布することもある。
③ 既に打ち込まれたコンクリートの表面の**レイタンス**，緩んだ骨材粒などを完全に除き，十分に**吸水**させる。
④ 新しいコンクリートの打込みにあたっては，打継面が十分に密着するように**締固め**なければならない。

鉛直打継目の施工

① 表面処理は，旧コンクリートの表面をワイヤブラシで削るか**チッピング**等により，**表面を粗にしたのち十分吸水**させ，セメントペーストを塗るなどしてからコンクリートを打ち継ぐ。
② 新しいコンクリートの打込みにあたっては，打継面が十分に密着するように**締固め**なければならない。
③ **漏水**が発生する恐れがあり，水密を要するコンクリートの鉛直打継目では，**止水板**を用いるのを原則とする。

養生

養生の目的

コンクリート打設後，十分に**硬化**が進む（相当の強度を発揮する）まで，硬化に必要な温度と湿度を与え，有害な外力などから保護し，ひび割れの発生をできるだけ少なくする。

コンクリートは，**硬化**に必要な温度条件に保ち，低温，高温，急激な温度変化などによる有害な影響を受けないように管理しなければならない。

具体的な養生方法

① 打ち込み後，硬化を始めるまで，直射日光や風などに対してコンクリートの露出面を保護する。
② 硬化中，一定期間は十分な**湿潤**状態に保つ。
③ コンクリートの硬化が十分に進むまで，硬化に必要な温度を保つ。
④ コンクリートが十分硬化するまで衝撃及び過分の荷重を加えないように保護する。

湿潤養生

・直射日光や風などによって表面だけが急激に乾燥するとひび割れの原因となることからシートなどで日よけや風よけをする。
・コンクリートの露出面は，表面を荒らさないで作業ができる程度に硬化した後に**養生用マットで覆うか，又は散水，湛水（たんすい）を行い湿潤状態に保ち**，硬化中の乾燥による収縮をできるだけ小さくする。

湿潤養生期間の標準

日平均気温	・中庸熱ポルトランドセメント ・混合セメントB種	普通ポルトランドセメント	早強ポルトランドセメント
15℃以上	**7日**	**5日**	**3日**
10℃以上	9日	7日	4日
5℃以上	12日	9日	5日

温度制御養生（給熱養生・保温養生）

・コンクリートは，十分な硬化が進むまで，硬化に必要な温度条件を保ち，低温，高温，急激な温度変化等による有害な影響を受けないよう，必要に応じて温度制御養生を行う。
・コンクリート表面に断熱材料または断熱型枠等を用いてコンクリート表面温度の急激な低下を防止する。

・周囲に上屋または囲いを設けて，その内部の空気をジェットヒーター等で加熱してコンクリートの温度低下を防止する。

有害な作用に対する養生

・コンクリートは，養生期間に予想される振動，衝撃，荷重等の有害な作用から保護する。
・材齢初期での周辺における振動や外力の発生する作業を制限し，コンクリートの打設後少なくとも1日間はその上を歩行したり作業をしない。
・型枠・支保工の取り外しは，決められた存置期間以上であるか，または打込まれたコンクリートと同じ状態で養生したコンクリート供試体の圧縮強度試験などにより，コンクリートが構造的に必要な強度になったことを確認したうえで行う。

関連問題&よくわかる解説

問題1 □□□

コンクリートの打込み及び締固めに関する，次の文章の[　　　]の(イ)～（ホ）に当てはまる適切な語句又は数値を，下記の語句から選び解答欄に記入しなさい。　H25[問題 3－1]出題

(1) コンクリートは，打上がり面がほぼ水平になるように打ち込むことを原則とする。コンクリートを2層以上に分けて打ち込む場合，上層と下層が一体となるように施工しなければならない。

下層のコンクリートに上層のコンクリートを打ち重ねる時間間隔は外気温が25℃を超える場合には許容打重ね時間間隔は［　イ　］時間を標準と定められている。下層のコンクリートが固まり始めている場合に打ち込むと上層と下層が完全に一体化していない不連続面の［　ロ　］が発生する。

締固めにあたっては，棒状バイブレータ（内部振動機）を下層のコンクリート中に［　ハ　］cm 程度挿入しなければならない。

(2) コンクリートを十分に締め固められるように，棒状バイブレータ（内部振動機）はなるべく鉛直に一様な間隔で差し込み，一般に［　ニ　］cm 以下にするとよい。1箇所あたりの締固め時間の目安は，コンクリート表面に光沢が現れてコンクリート全体が均一に溶けあったようにみえることなどからわかり，一般に［　ホ　］秒程度である。

［語句］

150,	10,	4,	5～15,	コンシステンシー,
フレッシュペースト,	80,	3,	20～30,	100,
50,	30～60,	コールドジョイント,	30,	2

解説

「コンクリート標準示方書（施工編：施工標準）」の「第7章　運搬・打込み・締固めおよび仕上げ」より

・コンクリートは，打上がり面がほぼ水平になるように打ち込むことを原則とする。
・コンクリートを2層以上に分けて打ち込む場合，上層と下層が一体となるように施

工しなければならない。

・下層のコンクリートに上層のコンクリートを打ち重ねる時間間隔は外気温が25℃を超える場合には許容打重ねの時間は［**2**］時間を標準と定められている。下層のコンクリートが固まり始めている場合にそのまま上層コンクリートを打ち込むと［**コールドジョイント**］ができるおそれがある。
・締固めにあたっては，棒状バイブレータを下層のコンクリート中に［**10**］cm程度挿入しなければならない。
・棒状バイブレータはなるべく鉛直にかつ一様な間隔に差し込む。その間隔は一般に［**50**］cm以下にするとよい。
・締固めが十分であるかは，表面に光沢が現れてコンクリート全体が均一に溶けあったようにみえること等からわかる。締固め時間の目安は，一般には［**5〜15**］秒程度である。

解答

(イ)	(ロ)	(ハ)	(ニ)	(ホ)
2	コールドジョイント	10	50	5〜15

問題2 □□□

コンクリート養生の役割及び具体的な方法に関する次の文章の［　　］の（イ）〜（ホ）に当てはまる適切な語句を下記の語句から選び，解答欄に記入しなさい。

R4［問題4］出題

(1) 養生とは，仕上げを終えたコンクリートを十分に硬化させるために，適当な［　イ　］と湿度を与え，有害な［　ロ　］等から保護する作業のことである。

(2) 養生では，散水，湛水（たんすい），［　ハ　］で覆う等して，コンクリートを湿潤状態に保つことが重要である。

(3) 日平均気温が［　ニ　］ほど，湿潤養生に必要な期間は長くなる。

(4) ［　ホ　］セメントを使用したコンクリートの湿潤養生期間は，普通ポルトランドセメントの場合よりも長くする必要がある。

［語句］

早強ポルトランド，	高い，	混合，	合成，	安全，
計画，	沸騰，	温度，	暑い，	低い，
湿布，	養分，	外力，	手順，	配合

コンクリート

解説

「コンクリート標準示方書（施工編）」より。

⑴ 養生とは，仕上げを終えたコンクリートを十分に硬化させるために，適当な［**温度**］と湿度を与え，有害な［**外力**］等から保護する作業のことである。

⑵ 養生では，散水，湛水，［**湿布**］で覆う等して，コンクリートを湿潤状態に保つことが重要である。

⑶ 日平均気温が［**低い**］ほど，湿潤養生に必要な期間は長くなる。

⑷ ［**混合**］セメントを使用したコンクリートの湿潤養生期間は，普通ポルトランドセメントの場合よりも長くする必要がある。

解答

(イ)	(ロ)	(ハ)	(ニ)	(ホ)
温度	外力	湿布	低い	混合

問題3 □□□

コンクリートの打継ぎの施工に関する次の文章の［　　］の（イ）～（ホ）に当てはまる適切な語句を，下記の語句から選び解答欄に記入しなさい。

H29［問題 4］出題

⑴ 打継目は，構造上の弱点になりやすく，［　イ　］やひび割れの原因にもなりやすいため，その配置や処理に注意しなければならない。

⑵ 打継目には，水平打継目と鉛直打継目とがある。いずれの場合にも，新コンクリートを打ち継ぐ際には，打継面の［　ロ　］や緩んだ骨材粒を完全に取り除き，コンクリート表面を［　ハ　］にした後，十分に［　ニ　］させる。

⑶ 水密を要するコンクリート構造物の鉛直打継目では，［　ホ　］を用いる。

［語句］

ワーカビリティー，	乾燥，	モルタル，	密実，	漏水，
コンシステンシー，	平滑，	吸水，	はく離剤，	粗，
レイタンス，	豆板，	止水板，	セメント，	給熱

解説

⑴ コンクリートの打継目は，レイタンスの影響や新旧コンクリートの接着性が一体施工部よりも劣ることから，せん断強度や曲げ強度が低下する。このため，［**漏水**］やひび割れが発生しやすい。

⑵ コンクリートを打継ぐ場合は，新旧コンクリートの接着を良くするよう，旧コンクリートの表面の［**レイタンス**］等を取り除き，骨材を洗い出して，さらに表面を［**粗**］にした後，十分に［**吸水**］させる。

⑶ 水密を要するコンクリートの打継目（鉛直打ち継ぎ目）では，［**止水板**］を用いるのを原則とする。

解答

(イ)	(ロ)	(ハ)	(ニ)	(ホ)
漏水	レイタンス	粗	吸水	止水板

コンクリート

問題４ □□□

コンクリートの打継目に関する次の文章の［　　］の（イ）～（ホ）に当てはまる適切な語句を，下記の語句から選び，解答欄に記入しなさい。

H26［問題 3－1］出題

⑴ 打継目は，できるだけ［　イ　］の小さい位置に設け，打継面を部材の圧縮力の作用方向と直交させるのを原則とする。

⑵ 水平打継目については，既に打ち込まれたコンクリートの表面の［　ロ　］や品質の悪いコンクリート，緩んだ骨材などを完全に取り除く。

⑶ 鉛直打継目については，既に打ち込まれ硬化したコンクリートの打継面をワイヤブラシで削るか［　ハ　］などにより粗にして十分吸水させた後，新しくコンクリートを打ち継がなければならない。

⑷ 打ち込んだコンクリートが打継面に行きわたり，打継面と密着するように打込み及び［　ニ　］を行わなければならない。

⑸ 水密を要するコンクリート構造物の鉛直打継目では［　ホ　］を用いるのを原則とする。

［語句］

養生,	クラッキング,	止水板,	引張力,
レイタンス	金網,	せん断力,	コンシステンシー,
締固め,	曲げの力,	チッピング,	スランプ,
仕上げ,	コールドジョイント,	接着	

解説

「コンクリート標準示方書　施工編」の「第9章　継目」より。

⑴　打継目は，できるだけ［**せん断力**］の小さい位置に設け，打継面を部材の圧縮力の作用方向と直交させるのを原則とする。

⑵　水平打継目について…コンクリートを打ち継ぐ場合には既に打ち込まれたコンクリートの表面の［**レイタンス**］，品質の悪いコンクリート，緩んだ骨材などを完全に取り除き，十分に吸水させなければならない。

⑶　鉛直打継目について…既に打ち込まれ硬化したコンクリートの打継面は，ワイヤブラシで削るか［**チッピング**］等により粗にして十分吸水させた後，新しくコンクリートを打ち継がなければならない。

⑷　打ち込んだコンクリートが打継面に行きわたり，打継面と密着するように打込みおよび［**締固め**］を行わなければならない。

⑸　水密を要するコンクリート構造物の鉛直打継目では［**止水板**］を用いるのを原則とする。

解答

(イ)	(ロ)	(ハ)	(ニ)	(ホ)
せん断力	レイタンス	チッピング	締固め	止水板

問題５ □□□

フレッシュコンクリートの仕上げ，養生及び硬化したコンクリートの打継目に関する次の文章の［　　　］の（イ）～（ホ）に当てはまる適切な語句を，下記の語句から選び解答欄に記入しなさい。 H30［問題 4］出題

⑴ 仕上げとは，打込み，締固めがなされたフレッシュコンクリートの表面を平滑に整える作業のことである。仕上げ後，ブリーディングなどが原因の［　イ　］ひび割れが発生することがある。

⑵ 仕上げ後，コンクリートが固まり始めるまでに，ひび割れが発生した場合は，［　ロ　］や再仕上げを行う。

⑶ 養生とは，打込み後一定期間，硬化に必要な適当な温度と湿度を与え，有害な外力などから保護する作業である。湿潤養生期間は，日平均気温が15℃以上では［　ハ　］で7日と，使用するセメントの種類や養生期間中の温度に応じた標準日数が定められている。

⑷ 新コンクリートを打ち継ぐ際には，打継面の［　ニ　］や緩んだ骨材粒を完全に取り除き，十分に［　ホ　］させなければならない。

［語句］

水分，	普通ポルトランドセメント，	吸水，	乾燥収縮，
パイピング，	プラスチック収縮，	タンピング，	保温，
レイタンス，	混合セメント（B 種），	ポンピング，	乾燥，
沈下，	早強ポルトランドセメント，	エアー	

解説

⑴ 仕上げとは，打込み，締固めがなされたフレッシュコンクリートの表面を平滑に整える作業のことである。仕上げ後，ブリーディングなどが原因の［**沈下**］ひび割れが発生することがある。

⑵ 仕上げ後，コンクリートが固まり始めるまでに，ひび割れが発生した場合は，［**タンピング**］や再仕上げを行う。

⑶ 養生とは，打込み後一定期間，硬化に必要な適当な温度と湿度を与え，有害な外力などから保護する作業である。湿潤養生期間は，日平均気温が15℃以上では［**混合セメント（B 種）**］で7日と，使用するセメントの種類や養生期間中の温度に応じた標準日数が定められている。

コンクリート

(4) 新コンクリートを打ち継ぐ際には，打継面の［**レイタンス**］や緩んだ骨材粒を完全に取り除き，十分に［**吸水**］させなければならない。

解答

(イ)	(ロ)	(ハ)	(ニ)	(ホ)
沈下	タンピング	混合セメント(B種)	レイタンス	吸水

問題6 □□□

コンクリートの打込み，締固め，養生に関する次の文章の［　　］の（イ）～（ホ）に当てはまる適切な語句を，下記の語句から選び解答欄に記入しなさい。

R 2［問題 4］出題

(1) コンクリートの打込み中，表面に集まった［　イ　］水は，適当な方法で取り除いてからコンクリートを打ち込まなければならない。

(2) コンクリート締固め時に使用する棒状バイブレータは，材料分離の原因となる［　ロ　］移動を目的に使用してはならない。

(3) 打込み後のコンクリートは，その部位に応じた適切な養生方法により一定期間は十分な［　ハ　］状態に保たなければならない。

(4) ［　ニ　］セメントを使用するコンクリートの［　ハ　］養生期間は，日平均気温15℃以上の場合，5日を標準とする。

(5) コンクリートは，十分に［　ホ　］が進むまで，［　ホ　］に必要な温度条件に保ち，低温，高温，急激な温度変化などによる有害な影響を受けないように管理しなければならない。

［語句］

硬化，	ブリーディング，	水中，	混合，	レイタンス，
乾燥，	普通ポルトランド，	落下，	中和化，	垂直，
軟化，	コールドジョイント，	湿潤，	横，	早強ポルトランド

解説

(1) コンクリートの打込み中，表面に集まった［**ブリーディング**］水は，適当な方法で取り除いてからコンクリートを打ち込まなければならない。

(2) コンクリート締固め時に使用する棒状バイブレータは，材料分離の原因となる［**横**］移動を目的に使用してはならない。

(3) 打込み後のコンクリートは，その部位に応じた適切な養生方法により一定期間は十分な［**湿潤**］状態に保たなければならない。

(4) ［**普通ポルトランド**］セメントを使用するコンクリートの［**湿潤**］養生期間は，日平均気温15℃以上の場合，5日を標準とする。

(5) コンクリートは，十分に［**硬化**］が進むまで，［**硬化**］に必要な温度条件に保ち，低温，高温，急激な温度変化などによる有害な影響を受けないように管理しなければならない。

解答

(イ)	(ロ)	(ハ)	(ニ)	(ホ)
ブリーディング	横	湿潤	普通 ポルトランド	硬化

問題７ □□□

フレッシュコンクリートの仕上げ，養生，打継目に関する次の文章の［　　］の（イ）～（ホ）に当てはまる適切な語句又は数値を，次の語句又は数値から選び解答欄に記入しなさい。 R３［問題２］出題

(1) 仕上げ後，コンクリートが固まり始めるまでに，［　イ　］ひび割れが発生することがあるので，タンピング再仕上げを行い修復する。

(2) 養生では，散水，湛水（たんすい），湿布で覆う等して，コンクリートを［　ロ　］状態に保つことが必要である。

(3) 養生期間の標準は，使用するセメントの種類や養生期間中の環境温度等に応じて適切に定めなければならない。そのため，普通ポルトランドセメントでは日平均気温15℃以上で，［　ハ　］日以上必要である。

(4) 打継目は，構造上の弱点になりやすく，［　ニ　］やひび割れの原因にもなりやすいため，その配置や処理に注意しなければならない。

(5) 旧コンクリートを打ち継ぐ際には，打継面の［　ホ　］や緩んだ骨材粒を完全に取り除き，十分に吸水させなければならない。

［語句又は数値］

漏水，	1，	出来形不足，	絶乾，	疲労，
飽和，	2，	ブリーディング，	沈下，	色むら，
湿潤，	5，	エントラップトエアー，	膨張，	レイタンス

解説

「コンクリート標準示方書（施工編）」より。

(1) 仕上げ後，コンクリートが固まり始めるまでに，［**沈下**］ひび割れが発生することがあるので，タンピング再仕上げを行い修復する。

(2) 養生では，散水，湛水，湿布で覆う等して，コンクリートを［**湿潤**］状態に保つことが必要である。

(3) 養生期間の標準は，使用するセメントの種類や養生期間中の環境温度等に応じて適切に定めなければならない。そのため，普通ポルトランドセメントでは日平均気温15℃以上で，［**5**］日以上必要である。

(4) 打継目は，構造上の弱点になりやすく，［**漏水**］やひび割れの原因にもなりやすいため，その配置や処理に注意しなければならない。

(5) 旧コンクリートを打ち継ぐ際には，打継面の［**レイタンス**］や緩んだ骨材粒を完全に取り除き，十分に吸水させなければならない。

解答

(イ)	(ロ)	(ハ)	(ニ)	(ホ)
沈下	湿潤	5	漏水	レイタンス

問題8 □□□

コンクリート構造物の施工において，コンクリートの打込み時，又は締固め時に留意すべき事項を2つ，解答欄に記述しなさい。

※ 平成24年は「コンクリートの締固めの施工」に関する留意点を2つ記述する問題が出題されています。

R 3［問題 5］，H24［問題 3］出題

解答欄

コンクリートの打込み時，又は締固め時の留意点

1.

2.

解説

「コンクリート標準示方書（施工編）」より。

打込み時	・木製型枠や旧コンクリート等は，散水し湿潤状態に保っておく。 ・1層当たりの打込み高さを40〜50cm 以下とする。 ・打上り速度は，一般の場合30分当たり1.0〜1.5m 程度を標準とする。 ・著しい材料分離が認められた場合には，打ち込むのをやめ，後のコンクリート打込みのために材料分離の原因を調べて，これを防止する。
締固め時	・棒状バイブレータはなるべく鉛直に差し込む。 ・棒状バイブレータの挿入間隔は，50cm 以下とする。 ・棒状バイブレータの引抜きは徐々に行い，あとに穴が残らないようにする。 ・棒状バイブレータは横移動を目的として使用してはならない。 ・棒状バイブレータの加振時間は，5〜15秒程度とする。 ・コンクリートを打ち重ねる場合，棒状バイブレータは下層のコンクリート中に10cm 程度挿入する。

上記のコンクリートの締固めの施工に関する留意点の中から 2 つ選び，解答欄に簡潔に記述する。

問題９ □□□

コンクリートの養生は，コンクリート打込み後の一定期間実施するが，養生の役割又は具体的な方法を2つ解答欄に記述しなさい。

H27［問題 5］出題

解答欄

養生の役割又は具体的な方法

1. ____________________

____

2. ____________________

____

解説

養生の役割	・所定の強度を発揮するまで，硬化に必要な適当な温度と湿度を与える。 ・所定の強度を発揮するまで，有害な外力などから保護し，ひび割れの発生をできるだけ少なくする。
具体的な方法	・養生用マットで覆うか，又は散水，湛水を行い湿潤状態に保つ。 ・膜養生剤を散布し，水分の逸散を防止する。 ・コンクリート表面に断熱材料または断熱型枠等を用いてコンクリート表面温度の急激な低下を防止する。 ・周囲に上屋または囲いを設けて，その内部の空気をジェットヒーター等で加熱してコンクリートの温度低下を防止する。

上記の養生の役割または具体的な方法の中から2つ選び，解答欄に簡潔に記述する。

問題10 □□□

コンクリートの施工に関する次の①～④の記述のいずれにも語句又は数値の誤りが文中に含まれている。①～④のうちから2つ選び，その番号をあげ，誤っている語句又は数値と正しい語句又は数値をそれぞれ解答欄に記述しなさい。

R1［問題5］出題

① コンクリートを打込む際のシュートや輸送管，バケットなどの吐出口と打込み面までの高さは2.0m以下が標準である。

② コンクリートを棒状バイブレータで締固める際の挿入間隔は，平均的な流動性及び粘性を有するコンクリートに対しては，一般に100cm以下にするとよい。

③ 打込んだコンクリートの仕上げ後，コンクリートが固まり始めるまでの間に発生したひび割れは，棒状バイブレータと再仕上げによって修復しなければならない。

④ 打込み後のコンクリートは，その部位に応じた適切な養生方法により一定期間は十分な乾燥状態に保たなければならない。

解答欄

番号	誤っている語句又は数値	正しい語句又は数値

解答

番号	誤っている語句又は数値	正しい語句又は数値
①	2.0m	1.5m
②	100cm	50cm
③	棒状バイブレータ	タンピング
④	乾燥	湿潤

鉄筋・型枠・型枠支保工の施工

鉄筋工

鉄筋組立時の留意事項

- 鉄筋は，組み立てる前に清掃し，どろ，浮きさび等，鉄筋とコンクリートとの**付着**を害するおそれのあるものを取り除かなければならない。
- 鉄筋は材質を害しない方法で，**常温**で加工することを原則とする。
- 鉄筋の交点の要所は，直径**0.8**mm以上の焼きなまし鉄線または適切なクリップで緊結する。
- 鉄筋の継手箇所は，できるだけ大きな荷重がかかる位置を避け，**同一**の断面に集めないようにする。
- 使用した焼きなまし鉄線またはクリップは，**かぶり**内に残してはならない。
- 鉄筋とせき板の間隔（**かぶり**）を正しく保つために**スペーサ**を必要な間隔に配置しなければならない。
- スペーサは，本体コンクリートと同等以上の品質のモルタル又はコンクリート製スペーサによるものとし，梁，床版等で1m^{2}あたり4個程度，壁および柱で1m^{2}あたり2～4個程度配置する。
- 鉄筋の継手箇所は構造上の弱点となりやすいため，できるだけ大きな荷重がかかる位置を避け，**同一**の断面に集めないようにする。
- 組み立てた鉄筋の一部が長時間大気にさらされる場合には，鉄筋の**防錆処理**を行うか，シートなどによる保護を行う。

コンクリート打設前の確認事項

- コンクリート打設前に，鉄筋に浮き錆・泥等の鉄筋とコンクリートの付着を害するおそれのあるものが除去されていること。
- 鉄筋は，正しい位置に配置し，コンクリートを打ち込むときに動かないように堅固に組み立てられていること。

型枠工

型枠の設置（施工上の留意事項）

- 型枠は，フレッシュコンクリートの**側圧**に対して安全性を確保できるものでなければならない。また，せき板の継目はモルタルが**漏出**しない構造としなければならない。
・型枠の施工にあたっては，所定の**精度**内におさまるよう，加工及び組立てを行う。
・型枠が所定の間隔以上に開かないように，**セパレータ**やフォームタイなどの締付け金物を使用する。
・コンクリートを打ち込む前および打込中に型枠の寸法および不具合の有無を確認する。

コンクリート打設前の確認事項
・型枠内部にごみ等，コンクリートの付着を害するおそれのあるものが除去されていること。
・せき板面などの吸水するおそれのあるところは散水し，湿潤状態を保つ。
・型枠内に水や氷雪が溜まっている場合は，打ち込み前に取り除く。
・型枠のせき板内面に型枠の取り外しが容易になるように，**はく離剤**を塗布する。
・型枠の寸法，間隔が設計図通りに建てこまれているか確認を行う。

型枠支保工

型枠支保工の設置上の留意事項
・支保工は，十分な強度と安定性をもつよう施工する。
・支保工の組立に先立って，基礎地盤を整地し，必要に応じて補強を行う。
・支柱の脚部の固定，根がらみの取付け等，支柱の脚部の滑動を防止するための措置を講ずる。
・支柱の継手は，突合せ継手または差込み継手とし，鋼材と鋼材との接続部および交差部は，ボルト，クランプなどの金具を用いて緊結する。
・パイプサポートを用いる場合は，3本以上継いで用いてはならない。また，パイプサポートを継いで用いる場合には，4個以上のボルトまたは専用の金具を用いる。
・使用材料に合わせ所定の高さ毎に2方向に水平つなぎを設け，かつ，水平つなぎの変位を防止する。
※パイプサポートを用いる場合，高さが3.5mを超える場合には，高さ2m以内ごと，鋼管支柱（パイプサポートを除く）を用いる場合は，高さ2m以内

ごとに水平つなぎを設ける。
・床版（スラブ）の型枠支保工は，施工時及び完成後のコンクリートの自重による構造物や支保工の沈下や変形を考慮して，適切な**上げ越し**を行う。
・コンクリートの打込前および打込中に，支保工の緩みや変形等の異常が生じていないことを確認する。

型枠および支保工の取外し

・型枠および支保工は，コンクリートがその自重および施工中にかかる荷重を受けるのに必要な強度に達するまでこれを外してはならない。
・型枠および支保工を取り外す時期はセメントの種類，コンクリートの配合，構造物の種類とその重要度，部材の大きさ，種類，部材の受ける荷重，気温，天候，風通し等を考慮して，適切に定める。
・型枠を取り外す手順は比較的荷重を受けない部分（**側面；柱・壁等の鉛直部材**）を取り外し，その後残りの重要な部分（**底面；スラブ・梁等の水平部材**）を取り外すものとする。
・コンクリートが必要な強度に達する時間を判定するには，打ち込まれたコンクリートと同じ状態で養生をしたコンクリート供試体の圧縮強度によるのがよい。
・コンクリート標準示方書に示された，橋・建物などのスラブ及び梁の下面の型枠を取り外してもよい時期のコンクリートの**圧縮**強度の参考値は14.0N/mm^{2}である。
・フーチング側面のように厚い部材の鉛直又は鉛直に近い面，傾いた上面，小さなアーチの外面は，一般的にコンクリートの圧縮強度が3.5（N/mm^2）以上で型枠及び支保工を取り外してよい。

関連問題&よくわかる解説

問題 1 □□□

コンクリート構造物の鉄筋の組立及び型枠に関する次の文章の[　　　]の（イ）～（ホ）に当てはまる適切な語句を，下記の語句から選び解答欄に記入しなさい。 R 5 [問題 7] 出題

(1) 鉄筋どうしの交点の要所は直径0.8mm 以上の［　イ　］等で緊結する。

(2) 鉄筋のかぶりを正しく保つために，モルタルあるいはコンクリート製の［　ロ　］を用いる。

(3) 鉄筋の継手箇所は構造上の弱点となりやすいため，できるだけ大きな荷重がかかる位置を避け，［　ハ　］の断面に集めないようにする

(4) 型枠の締め付けにはボルト又は鋼棒を用いる。型枠相互の間隔を正しく保つためには，［　ニ　］やフォームタイを用いる。

(5) 型枠内面には，［　ホ　］を塗っておくことが原則である。

[語句]

結束バンド，	スペーサ，	千鳥，	剥離剤(はくりざい)，	交互，
潤滑油，	混和剤，	クランプ，	焼きなまし鉄線，	パイプ，
セパレータ，	平板，	供試体，	電線，	同一

解説

「コンクリート標準示方書（施工編および設計編）」より。

(1) 鉄筋どうしの交点の要所は直径0.8mm 以上の［**焼なまし鉄線**］等で緊結する。

(2) 鉄筋のかぶりを正しく保つために，モルタルあるいはコンクリート製の［**スペーサ**］を用いる。

(3) 鉄筋の継手箇所は構造上の弱点となりやすいため，できるだけ大きな荷重がかかる位置を避け，［**同一**］の断面に集めないようにする。

(4) 型枠の締め付けにはボルト又は鋼棒を用いる。型枠相互の間隔を正しく保つためには，［**セパレータ**］やフォームタイを用いる。

(5) 型枠内面には，［**剥離剤**］を塗っておくことが原則である。

解答

(イ)	(ロ)	(ハ)	(ニ)	(ホ)
焼なまし鉄線	スペーサ	同一	セパレータ	剥離剤

問題2 □□□

コンクリート工事において，鉄筋を加工し，組み立てる場合の留意事項に関する次の文章の［　　］の（イ）～（ホ）に当てはまる適切な語句又は数値を，下記の語句から選び，解答欄に記入しなさい。

H27［問題 4］出題

⑴ 鉄筋は，組み立てる前に清掃し，どろ，浮きさび等，鉄筋とコンクリートとの［　イ　］を害するおそれのあるものを取り除かなければならない。

⑵ 鉄筋は，正しい位置に配置し，コンクリートを打ち込むときに動かないように堅固に組み立てなければならない。鉄筋の交点の要所は，直径［　ロ　］mm 以上の焼なまし鉄線又は適切なクリップで緊結しなければならない。使用した焼なまし鉄線又はクリップは，［　ハ　］内に残してはならない。

⑶ 鉄筋の［　ハ　］を正しく保つためにスペーサを必要な間隔に配置しなければならない。鉄筋は，材質を害しない方法で，［　ニ　］で加工することを原則とする。コンクリートを打ち込む前に鉄筋や型枠の配置や清掃状態などを確認するとともに型枠をはがしやすくするために型枠表面に［　ホ　］剤を塗っておく。

［語句］

0.6,	常温,	圧縮,	はく離,	0.8,
付着,	有効高さ,	0.4,	スランプ,	遅延,
加熱,	硬化,	冷間,	引張,	かぶり

解説

⑴ 鉄筋は，組み立てる前に清掃し，どろ，浮きさび等，鉄筋とコンクリートとの［**付着**］を害するおそれのあるものを取り除かなければならない。

(2) 鉄筋は，正しい位置に配置し，コンクリートを打ち込むときに動かないように堅固に組み立てなければならない。鉄筋の交点の要所は，直径［**0.8**］mm 以上の焼きなまし鉄線または適切なクリップで緊結しなければならない。使用した焼きなまし鉄線またはクリップは，［**かぶり**］内に残してはならない。

(3) 鉄筋の［**かぶり**］を正しく保つためにスペーサを必要な間隔に配置しなければならない。鉄筋は，材質を害しない方法で［**常温**］で加工することを原則とする。コンクリートを打ち込む前に鉄筋や型枠の配置や清掃状態などを確認するとともに，型枠をはがし易くするために型枠表面に［**はく離**］剤を塗っておく。

解答

(イ)	(ロ)	(ハ)	(ニ)	(ホ)
付着	0.8	かぶり	常温	はく離

問題3 □□□

コンクリートの打込みにおける型枠の施工に関する次の文章の［　　］の（イ）～（ホ）に当てはまる適切な語句を，下記の語句から選び解答欄に記入しなさい。

R 1［問題 4］出題

(1) 型枠は，フレッシュコンクリートの［　イ　］に対して安全性を確保できるものでなければならない。また，せき板の継目はモルタルが［　ロ　］しない構造としなければならない。

(2) 型枠の施工にあたっては，所定の［　ハ　］内におさまるよう，加工及び組立てを行わなければならない。型枠が所定の間隔以上に開かないように，［　ニ　］やフォームタイなどの締付け金物を使用する。

(3) コンクリート標準示方書に示された，橋・建物などのスラブ及び梁の下面の型枠を取り外してもよい時期のコンクリートの［　ホ　］強度の参考値は14.0N/mm²である。

［語句］

スペーサ，	鉄筋，	圧縮，	引張り，	曲げ，
変色，	精度，	面積，	季節，	セパレータ，
側圧，	温度，	水分，	漏出，	硬化

解説

「コンクリート標準示方書（施工編）」より

⑴ 型枠は，フレッシュコンクリートの［**側圧**］に対して安全性を確保できるものでなければならない。また，せき板の継目はモルタルが［**漏出**］しない構造としなければならない。

⑵ 型枠の施工にあたっては，所定の［**精度**］内におさまるよう，加工及び組立てを行わなければならない。型枠が所定の間隔以上に開かないように，［**セパレータ**］やフォームタイなどの締付け金物を使用する。

⑶ コンクリート標準示方書に示された，橋・建物などのスラブ及び梁の下面の型枠を取り外してもよい時期のコンクリートの［**圧縮**］強度の参考値は14.0N/mm²である。

解答

(イ)	(ロ)	(ハ)	(ニ)	(ホ)
側圧	漏出	精度	セパレータ	圧縮

問題４ □□□

鉄筋コンクリート構造物の施工管理に関して，コンクリート打込み前に鉄筋工及び型枠において現場作業で確認すべき事項をそれぞれ１つずつ解答欄に記述しなさい。

H28［問題 5］出題

解答欄

1. 鉄筋工：

2. 型枠工：

解説

鉄筋工

- 鉄筋に浮き錆，泥等の鉄筋とコンクリートの**付着を害するおそれのあるものが除去**されていること。
- 鉄筋の組み立てが**正しい位置に配置**されていること。
- **鉄筋とせき板の間隔（かぶり）がスペーサなどにより確保**されていること。
  （所定の数量のスペーサが配置されていること）
- **鉄筋のあきは所定の値が確保**されていること。

型枠工

- 型枠内部にごみ等，**コンクリートの付着を害するおそれのあるものが除去**されていること。
- **せき板面などの吸水するおそれのあるところは散水し，湿潤状態を保っておく。**
- 型枠内に**水や氷雪が溜まっている場合は，打ち込み前に取り除く**。
- 型枠のせき板内面に型枠の**取り外しが容易になるように，はく離剤を塗布**する。
- 型枠の**寸法，間隔が設計図通り**に建てこまれているかを確認する。

したがって，以上からそれぞれ1つずつ選び，解答欄に簡潔に記述する。
解答欄に対し文章が短い場合は2つ合わせて記入してもよい。

問題5 □□□

コンクリート構造物の型枠及び支保工の設置又は取外しの施工上の留意点を2つ解答欄に記述しなさい。 H25［問題 3－2］出題

解答欄

型枠及び支保工の設置又は取外しの施工上の留意点

1. ＿＿＿＿＿＿＿＿＿＿＿＿＿＿＿＿＿＿＿＿＿＿＿＿

2. ＿＿＿＿＿＿＿＿＿＿＿＿＿＿＿＿＿＿＿＿＿＿＿＿

解説

「コンクリート標準示方書　施工編」より。

型枠の設置（施工上の留意点）

・**所定の精度内におさまるよう**，加工および組立を行う。
・**せき板内面には，はく離剤を塗布**する。
・コンクリートを打ち込む前および打込中に**型枠の寸法および不具合の有無を確認**する。

支保工の設置

・支保工は，**十分な強度と安定性**をもつよう施工する。
・支保工の組立に先立って，**基礎地盤を整地し，必要に応じて補強**を行う。
・コンクリートの打込前および打込中に，**支保工の緩みや変形等の異常が生じていないことを確認**する。

型枠および支保工の取外し

・型枠および支保工は，コンクリートがその自重および施工中にかかる荷重を受けるのに**必要な強度に達するまでこれを外してはならない**。
・型枠および支保工を取り外す時期はセメントの種類，コンクリートの配合，構造物の種類とその重要度，部材の大きさ，種類，部材の受ける荷重，気温，天候，風通し等を考慮して，適切に定める。
・型枠を**取り外す手順は比較的荷重を受けない部分を取り外し，その後残りの重要な部分を取り外す**。
・コンクリートが必要な強度に達する時間を判定するには，打ち込まれたコンクリートと同じ状態で養生をしたコンクリート供試体の圧縮強度による。

したがって，解答は上記の中から2つを選び，簡潔に記述する。

用語の説明

コンクリートに関する用語集

用　語	用語の説明
★コールドジョイント	コンクリートを層状に打ち込む場合に，先に打ち込んだコンクリートと後から打ち込んだコンクリートの間が，完全に一体化していない不連続面。
★ワーカビリティー	コンクリートの運搬，打ち込み，締固め等の施工性の容易さを表す。

★AE 剤	コンクリートの中に微細な独立した空気泡を一様に分布させる混和剤で，耐凍害性，ワーカビリィティーを向上させる。
エントレインドエア	AE 剤を用いてコンクリート中に連行させた独立した微細な空気泡。耐凍害性を高める効果を持っている。
AE コンクリート	AE 剤などを用いて微細な空気泡を含ませたコンクリートのことをいい，凍害に対する耐久性が優れている。
レイタンス	コンクリートの材料分離（ブリーディング）に伴い，表面に浮かびあがった不純物（骨材の微粒子，セメント水和物等からなる微細な物質）が堆積した，脆弱な膜層。
★かぶり	鋼材あるいは鉄筋の表面からコンクリート表面までの最短距離で計測したコンクリートの厚さ。
スペーサ	鉄筋コンクリートを打設する際，鉄筋が動かないように所定の位置へ固定させるとともに，必要なかぶり（鉄筋とせき板の間隔）を保つために用いる材料。
★ブリーディング	打ち込み後セメント及び骨材粒子の沈下（材料分離）に伴い表面に水が浮かび上がる現象。
流動化剤	配合や硬化後の品質を変えることなく，流動性を大幅に改善させる混和剤で，暑中コンクリートのスランプロス対策等に用いられる。
★スランプ	フレッシュコンクリートの軟らかさの程度を示す指標の一つで，スランプコーンを引き上げた直後に測った頂部からの下がりで表す。
呼び強度	構造計算において基準とするコンクリートの設計基準強度で，一般に材齢28日における圧縮強度を基準とする。
タンピング	コンクリートを打設した後にコンクリート表面をタンパーで繰り返し打撃して締め固めること。亀裂，沈みひび割れ，骨材の浮き上がりを防止する。
★アルカリシリカ反応	コンクリート中のアルカリ分と反応性をもつ骨材が，化学反応し，コンクリートに膨張ひび割れを生じさせる現象。
マスコンクリート	部材の断面寸法が大きく，セメント量の多いコンクリート。水和熱による温度の上昇の影響を考慮して設計・施工しなければならないコンクリート。

★印は H24 年以降で 2 回以上出題された重要用語

関連問題&よくわかる解説

問題1 □□□

コンクリートに関する次の用語から2つ選び，その用語の説明をそれぞれ解答欄に記述しなさい。（各年度，4〜5つの用語が出題されます。）

R５・R２・H30・H29［問題５］，H26・H24［問題３−２］出題

出題年度

① コールドジョイント…………………R5，R2，H30，H29，H24
② ワーカビリティー…………………R5，R2，H26
③ AE剤 ………………………………H30，H26
④ エントレインドエア………………H29
⑤ AEコンクリート …………………H24
⑥ レイタンス…………………………R2
⑦ かぶり………………………………R2，H24
⑧ スペーサ……………………………H26
⑨ ブリーディング……………………H30，H29，H26
⑩ 流動化剤……………………………H30
⑪ スランプ……………………………R5，H29
⑫ 呼び強度……………………………H29
⑬ タンピング…………………………H26
⑭ アルカリシリカ反応………………R5，H24
⑮ マスコンクリート…………………H24

解答欄

1．用語；

用語の説明；

2．用語；

用語の説明；

解答　P.122，123表**コンクリートに関する用語集**を参照してください。

品質管理

出題概要

出題問題数	項目	出題内容	出題形式
1～3 問	土工	盛土の施工管理 品質管理方式 原位置試験，盛土材料 等	穴埋め問題 記述式問題（試験の名称，施工上の留意事項，特徴）等
	コンクリート工	受入検査, 施工上の留意事項, 鉄筋・型枠の組立 等	穴埋め問題 記述式問題（検査の内容, 規格値，留意事項）等

施工管理法として「品質管理」「施工計画（バーチャート・環境）」「安全管理」等から合計5～7程度がランダムに出題されます。年度によって各項目の出題問題数にばらつきがあります。

出題パターン（出題予想）

	土工			コンクリート工		
	土質試験	盛土材料	盛土の施工管理 品質管理方式	コンクリートの 受入検査	コンクリートの 施工・養生	鉄筋 型枠
令和6年度	○	△	○	○	△	○
令和5年度			穴埋め			
令和4年度	穴埋め	記述		穴埋め		
令和3年度			穴埋め			穴埋め
令和2年度	穴埋め				記述 （特別な配慮）	
令和元年度			穴埋め	穴埋め		
平成30年度			穴埋め	穴埋め		
平成29年度			記述			穴埋め
平成28年度			穴埋め	記述		
平成27年度		記述		穴埋め		
平成26年度	記述			穴埋め		
平成25年度					穴埋め	
平成24年度						記述
平成23年度	記述				穴埋め	

土質試験（原位置試験と室内試験）

室内試験（盛土の施工前に行う材料試験）

土質試験（室内試験）の名称と測定方法

試験の名称	測定方法
土粒子の密度試験	試料を乾燥炉にかけ，土粒子の質量に対する間げきに含まれる水の質量を求める試験。それにより，土粒子の密度・間げき比・飽和度・空気間げき率が求まる。
粒度試験	ふるい分析及び沈降分析を用いて，土を構成する土粒子の粒径の分布を求める。
液性限界試験	土が塑性状から液体に移る時の境界の含水比を求める。
塑性限界試験	土が塑性状から半固体状に移る時の境界の含水比を求める。 ※液性限界・塑性限界試験共に，土質材料の選定に用いる。
一面せん断試験	上下に分かれたせん断箱に試料を入れ，垂直方向に載荷した状態で，せん断力を加え，試料に生ずる抵抗力を測定する。
一軸圧縮試験	円柱形供試体に連続的に圧縮を加え，圧縮量と圧縮力を測定し，一軸圧圧縮強さ・粘着力を求める。
三軸圧縮試験	三軸圧力室内に水を満たし水圧をかけた状態で，圧縮力を加えせん断破壊し，その時の荷重を測定する。せん断抵抗角・粘着力を求め，地盤の安定計算等に用いられる。
圧密試験	粘性土に荷重を段階的に増加させ圧密し，圧密係数，圧縮指数等を求める試験。粘性土の沈下量の推定に用いる。
締固め試験	含水率を変化させた土を，同じエネルギーで突き固めて，最もよく締まる時の最適含水比と最大乾燥密度を求める。

土の判別分類および力学的性質を求める試験

試験の名称	求められるもの	試験結果の利用
土粒子の密度試験	土粒子の密度・間げき比・飽和度・空気間げき率	土の締固めの程度，有機物含有の有無
土の含水比試験	含水比	土の基本的性質の計算
粒度試験 (ふるい分析·沈降分析)	粒径加積曲線 →有効径・均等係数	粒度による細粒土の分類 材料としての土の判定
コンシステンシー試験 (塑性限界·液性限界試験)	液性限界・塑性限界 塑性指数	自然状態の細粒土の安定性の判定・盛土材料の選定
せん断試験 一面せん断試験 一軸圧縮試験 三軸圧縮試験	 せん断抵抗角(内部摩擦角度 ϕ)·粘着力 一軸圧圧縮強さ・粘着力 せん断抵抗角・粘着力	 基礎，斜面，擁壁などの安定計算 細粒土の地盤の安定計算（支持力） 細粒土の構造の判定
圧密試験	圧密指数・圧密係数	粘性土の沈下量の計算
締固め試験	最大乾燥密度 最適含水比	路盤および盛土の施工方法の決定・施工の管理
透水試験	透水係数	透水関係の設計計算
（室内）CBR 試験	支持力値	たわみ性舗装厚の設計

原位置試験（盛土の施工前又は施工中に現場で行う試験）

土質試験（原位置試験）の名称と測定方法

試験の名称		測定方法
単位体積質量試験	砂置換法	掘り取った土の質量と，掘った試験孔に充填した砂の質量から求めた体積を利用し，原位置の土の**密度**・**含水比**等を求めることができる。
単位体積質量試験	RI 法	地盤に試験孔をあけ，線源棒を挿入し，計器により放射線を検出し，試験孔周辺の密度・含水比・空気間げき率等を測定する。
ポータブルコーン貫入試験		コーンペネトロメータを人力により地中に貫入させ，その時のコーン貫入抵抗値から単位面積当たりのコーン指数を求める試験。
平板載荷試験		地表面におかれた載荷板（直径30cmの鋼製円盤）に段階的に**垂直**荷重を加えていき，各荷重に対する**沈下量**から**地盤反力係数**を求める。
現場 CBR 試験		現場の路床あるいは路盤に標準寸法の貫入ピストンを一定の深さに貫入させ，それに必要な荷重を測定することで支持力の大きさを測定する。
標準貫入試験		ハンマーを自由落下させて，サンプラーを土中に30cm貫入させるのに要する打撃回数を測定し**N 値**を求める。またサンプラーで採取した土質より**土質柱状図**や地質**断面図**を作成する。
原位置ベーンせん断試験		ベーンブレードを地盤中に押込み，回転させ，ベーンがせん断する時のロッドのトルクから粘性土地盤のせん断強さや粘着力を求める試験。
透水試験		地盤に掘った井戸（観測井）を用いて，注水・汲み上げを行った場合の水位の変化より透水係数を求める。
プルーフローリング試験		仕上がった路床，路盤面に荷重車を走行させ，目視により路床，路盤面の変位状況（たわみ）を確認する。

各種土質試験から求められるもの，試験結果の利用方法等

試験の名称	求められるもの	試験結果の利用
単位体積質量試験（現場密度試験）	湿潤密度・乾燥密度	盛土の締固めの施工管理
標準貫入試験	N 値	地盤の**硬軟**，土層の締まり具合の判定
SWS（スウェーデン式サウンディング）試験	N 値（換算）	地盤の硬軟，土層の締まり具合の判定
ポータブルコーン貫入試験	コーン指数	トラフィカビリティの判定
オランダ式二重管コーン貫入試験	コーン指数	地盤の硬軟，土層の締まり具合の判定 **軟弱層**の厚さや分布を把握
原位置ベーンせん断試験	粘着力	細粒土の傾斜や基礎地盤の安定計算
平板載荷試験（現場 CBR 試験）	地盤反力係数（CBR 値）	盛土の締固めの**品質管理**・支持力の確認（現場の路床や路盤の支持力の判定）
プルーフローリング試験	たわみの確認（目視）	盛土の締固めの施工管理
（現場）透水試験	透水係数	湧水量の算定，排水工法の検討

関連問題&よくわかる解説

問題1 □□□

土の原位置試験とその結果の利用に関する次の文章の［　　　］の（イ）～（ホ）に当てはまる適切な語句を，下記の語句から選び解答欄に記入しなさい。

R 4［問題 6］出題

⑴ 標準貫入試験は，原位置における地盤の硬軟，締まり具合又は土層の構成を判定するための［　イ　］を求めるために行い，土質柱状図や地質［　ロ　］を作成することにより，支持層の分布状況や各地層の連続性等を総合的に判断できる。

⑵ SWS（スウェーデン式サウンディング）試験は，荷重による貫入と，回転による貫入を併用した原位置試験で，土の静的貫入抵抗を求め，土の硬軟又は締まり具合を判定するとともに［　ハ　］の厚さや分布を把握するのに用いられる。

⑶ 地盤の平板載荷試験は，原地盤に剛な載荷板を設置して垂直荷重を与え，この荷重の大きさと載荷板の［　ニ　］との関係から，［　ホ　］係数や極限支持力等の地盤の変形支持力特性を調べるための試験である。

［語句］

含水比，	盛土，	水温，	地盤反力，	管理図，
軟弱層，	N値，	P値，	断面図，	経路図，
降水量，	透水，	掘削，	圧密，	沈下量

解説

「コンクリート標準示方書（施工編）」より。

⑴ 標準貫入試験は，原位置における地盤の硬軟，締まり具合又は土層の構成を判定するための［**N値**］を求めるために行い，土質柱状図や地質［**断面図**］を作成することにより，支持層の分布状況や各地層の連続性等を総合的に判断できる。

⑵ スウェーデン式サウンディング試験は，荷重による貫入と，回転による貫入を併用した原位置試験で，土の静的貫入抵抗を求め，土の硬軟又は締まり具合を判定するとともに［**軟弱層**］の厚さや分布を把握するのに用いられる。

(3) 地盤の平板載荷試験は，原地盤に剛な載荷板を設置して垂直荷重を与え，この荷重の大きさと載荷板の［**沈下量**］との関係から，［**地盤反力**］係数や極限支持力等の地盤の変形支持力特性を調べるための試験である。

解答

（イ）	（ロ）	（ハ）	（ニ）	（ホ）
N 値	断面図	軟弱層	沈下量	地盤反力

問題2 □□□

土の原位置試験に関する次の文章の［　　］の（イ）～（ホ）に当てはまる適切な語句を，下記の語句から選び解答欄に記入しなさい。

R 2［問題 6］出題

(1) 標準貫入試験は，原位置における地盤の［　イ　］，締まり具合または土層の構成を判定するための［　ロ　］を求めるために行うものである。

(2) 平板載荷試験は，原地盤に剛な載荷板を設置して［　ハ　］荷重を与え，この荷重の大きさと載荷板の沈下量との関係から［　ニ　］係数や極限支持力などの地盤の変形及び支持力特性を調べるための試験である。

(3) RI 計器による土の密度試験とは，放射性同位元素（RI）を利用して，土の湿潤密度及び［　ホ　］を現場において直接測定するものである。

［語句］

バラツキ,	硬軟,	N 値,	圧密,	水平,	地盤反力,
膨張,	調整,	含水比,	P 値,	沈下量,	大小,
T 値,	垂直,	透水			

解説

(1) 標準貫入試験は，原位置における地盤の［**硬軟**］，締まり具合または土層の構成を判定するための［**N 値**］を求めるために行うものである。

(2) 平板載荷試験は，原地盤に剛な載荷板を設置して［**垂直**］荷重を与え，この荷

品質管理

重の大きさと載荷板の沈下量との関係から［**地盤反力**］係数や極限支持力などの地盤の変形及び支持力特性を調べるための試験である。

⑶　RI 計器による土の密度試験とは，放射性同位元素（RI）を利用して，土の湿潤密度及び［**含水比**］を現場において直接測定するものである。

解答

（イ）	（ロ）	（ハ）	（ニ）	（ホ）
硬軟	N 値	垂直	地盤反力	含水比

問題３　□□□

土の原位置試験に関する次の文章の［　　　］の（イ）～（ホ）に当てはまる適切な語句を，下記の語句から選び，解答欄に記入しなさい。

H28［問題 6］出題

⑴　原位置試験は，土がもともとの位置にある自然の状態のままで実施する試験の総称で，現場で比較的簡易に土質を判定しようとする場合や乱さない試料の採取が困難な場合に行われ，標準貫入試験，道路の平板載荷試験，砂置換法による土の［　イ　］試験などが広く用いられている。

⑵　標準貫入試験は，原位置における地盤の硬軟，締まり具合などを判定するための［　ロ　］や土質の判断などのために行い，試験結果から得られる情報を［　ハ　］に整理し，その情報が複数得られている場合は地質断面図にまとめる。

⑶　道路の平板載荷試験は，道路の路床や路盤などに剛な載荷板を設置して荷重を段階的に加え，その荷重の大きさと載荷板の［　ニ　］との関係から地盤反力係数を求める試験で，道路，空港，鉄道の路床，路盤の設計や締め固めた地盤の強度と剛性が確認できることから工事現場での［　ホ　］に利用される。

［語句］

品質管理，	粒度加積曲線，	膨張量，	出来形管理，	沈下量，
隆起量，	N 値，	写真管理，	密度，	透水係数，
土積図，	含水比，	土質柱状図，	間隙水圧，	粒度

解説

(1) 原位置試験は，土がもともとの位置にある自然の状態のままで実施する試験の総称で，現場で比較的簡易に土質を判定しようとする場合や乱さない試料の採取が困難な場合に行われ，標準貫入試験，道路の平板載荷試験，砂置換法による土の［**密度**］試験などが広く用いられている。

(2) 標準貫入試験は，原位置における地盤の硬軟，締まり具合などを判定するための［**N 値**］や土質の判断などのために行い，試験結果から得られる情報を［**土質柱状図**］に整理し，その情報が複数得られている場合は地質断面図にまとめる。

(3) 道路の平板載荷試験は，道路の路床や路盤などに剛な載荷板を設置して荷重を段階的に加え，その荷重の大きさと載荷板の［**沈下量**］との関係から地盤反力係数を求める試験で，道路，空港，鉄道の路床，路盤の設計や締め固めた地盤の強度と剛性が確認できることから工事現場での［**品質管理**］に利用される。

解答

(イ)	(ロ)	(ハ)	(ニ)	(ホ)
密度	N 値	土質柱状図	沈下量	品質管理

問題４ □□□

土の工学的性質を確認するための試験の名称を５つ解答欄に記入しなさい。
試験の名称は，原位置試験又は室内土質試験のどちらからでも可とする。
ただし，解答欄の記入例と同一内容は不可とする。 H26［問題 4－2］出題

解答欄

原位置試験又は室内土質試験の名称

記入例．オランダ式二重管コーン貫入試験

1.

2.

3.

4.

5.

品質管理

解説

1．原位置試験

●各種サウンディング

① 標準貫入試験

② SWS（スウェーデン式サウンディング）

③ ポータブルコーン貫入試験

④ オランダ式二重管コーン貫入試験

⑤ ベーン試験

●その他

⑥ 平板載荷試験

⑦ 単位体積質量試験（現場密度試験）

⑧ 現場 CBR 試験

⑨ 現場透水試験

2．室内土質試験

●土の判別分類のための試験：土の物理的性質

① 土粒子の密度試験

② 土の含水比試験

③ 粒度試験

④ 液性限界試験・塑性限界試験（コンシステンシー試験）

⑤ 相対密度試験（砂の最大密度・最小密度試験）

●土の力学的性質を求める試験

⑥ 締固め試験

⑦ 一面せん断試験

⑧ 一軸圧縮試験

⑨ 三軸圧縮試験

⑩ 圧密試験

したがって，解答は上記1.の①～⑨または2.の①～⑩のうちから5つ（解答欄の記入例を除く。）を選び，名称を記入する。

問題5 □□□

次の原位置試験の中から2つ選び，その試験から得られる結果と結果の利用法について記述しなさい。 H23［問題 4－2］出題

・ポータブルコーン貫入試験
・標準貫入試験
・平板載荷試験
・原位置ベーンせん断試験

解答欄

1.	原位置試験名	
	その試験から得られる結果	
	結果の利用法	
2.	原位置試験名	
	その試験から得られる結果	
	結果の利用法	

解説

原位置試験名	試験から得られる結果	結果の利用法
ポータブルコーン貫入試験	コーン指数	トラフィカビリティの判定
標準貫入試験	N値	土の硬軟， 締まりぐあいの判定
平板載荷試験	地盤反力係数	締固めの施工管理
原位置ベーンせん断試験	粘着力	細粒土の斜面や 基礎地盤の安定計算

上記の中から2つ原位置試験名を選択し，該当するその試験から得られる結果と結果の利用法を記入してください。

品質管理

盛土の施工管理

締固めの品質管理方式には，**品質規定方式**と**工法規定方式**がある。

品質規定方式

1）乾燥密度（最大乾燥密度・最適含水比）・締固め度で規定する方法

締固め試験で得られた使用材料の**最大乾燥密度**と現場の締め固められた土の乾燥密度の比を**締固め度**と呼び，この数値が規定値以上になっていること，**施工含水比**がその**最適含水比**を基準として規定された範囲内にあることを要求する方法である。

・最大乾燥密度に対する単位体積質量試験（現場密度試験）によって求められた乾燥密度の割合で締固め度が求められる。

$$\text{締固め度} = \frac{\text{現場における締固め後の乾燥密度（現場密度）}}{\text{基準となる室内締固め試験における最大乾燥密度}} \times 100\ (\%)$$

2）空気間げき率または飽和度を施工含水比で規定する方法

締固めた土が安定な状態である条件として，空気間げき率または飽和度が一定の範囲内にあるように規定する方法である。

3）強度特性，変形特性で規定する方法

締め固めた盛土の強度あるいは変形特性を現場CBR，地盤反力係数，貫入抵抗，**プルーフローリングによるたわみ等**により規定する方法である。

工法規定方式

締固め機械の機種，まき出し厚（敷均し厚），締固め回数などの工法そのものを**仕様書**に規定し，これにより一定の**品質**を確保しようとする方法である。この方法を適用する場合には，あらかじめ**試験施工**を行って工法規定の妥当性を確認しておく必要がある。また，使用材料（土質や含水比）が変わる場合は，新たに**試験施工**を実施し，締固め機械の機種および重量，土の締固め厚，施工含水比，締固め回数などの作業標準を直ちに見直し，必要な修正処置をとらなければならない。

※測距・測角が同時に行える**TS（トータルステーション）**・**GNSS（人工衛星による測位システム）**を用いて締固め機械の走行位置をリアルタイムに計測することにより，盛土の**転圧回数**を管理する方法は，**工法**規定方式の1つである。

盛土の施工管理

敷均し

- 盛土材料の含水比（**自然**含水比）を，締固め時に規定される施工含水比の範囲以内に入るように調節する。（**ばっ気乾燥**，散水など）
- 高巻きを避け，水平の層に薄く，**均等**に敷き均す。
- 路体では1層の仕上がり厚が30cm以下になるよう敷均し厚さを35～40cm程度に敷き均す。
- 路床では1層の仕上がり厚が20cm以下になるよう敷均し厚さを25～30cm程度に敷き均す。
- トラフィカビリティを確保するため適切な排水処理を行う。

締固め

- 締固めの目的として，盛土法面の安定や土の**支持力**の増加など，土の構造物として必要な**強度特性**が得られるようにすることが上げられる。**最適含水比**，最大**乾燥密度**に締め固められた土は，その締固めの条件のもとでは土の間隙が最小である。
- 盛土材料の含水比（**自然含水比**）を，締固め時に規定される**施工含水比**の範囲以内に入るように調節する。（**ばっ気乾燥**，散水など）
- 盛土材料の土質に応じて適切な機種，重量の締固め機械を選定する。
- 運搬機械の走行路を固定せず切り回しを行うことで運搬機械の走行による締固め効果が均等に得られるようにする。
- 締固め後の表面は，施工時の自然排水勾配を確保するために4～5％程度の横断勾配をつけ，表面を平滑に維持する。
- 盛土のすり付け部や**端部**は，小型の機械を用いて入念に締め固める。

関連問題＆よくわかる解説

問題1 □□□

盛土の施工に関する次の文章の［　　　］の（イ）～（ホ）に当てはまる適切な語句を，次の語句から選び解答欄に記入しなさい。

R 3［問題 6］出題

⑴ 敷均しは，盛土を均一に締め固めるために最も重要な作業であり［　イ　］でていねいに敷均しを行えば均一でよく締まった盛土を築造することができる。

⑵ 盛土材料の含水量の調節は，材料の［　ロ　］含水比が締固め時に規定される施工含水比の範囲内にない場合にその範囲に入るよう調節するもので，曝気（ばっき）乾燥，トレンチ掘削による含水比の低下，散水等の方法がとられる。

⑶ 締固めの目的として，盛土法面の安定や土の［　ハ　］の増加等，土の構造物として必要な［　ニ　］が得られるようにすることがあげられる。

⑷ 最適含水比，最大［　ホ　］に締め固められた土は，その締固めの条件のもとでは土の間隙（かんげき）が最小である。

［語句］

塑性（そせい）限界，	収縮性，	乾燥密度，	薄層，	最小，
湿潤密度，	支持力，	高まき出し，	最大，	砕石，
強度特性，	飽和度，	流動性，	透水性，	自然

解説

「道路土工―道路土工指針」より。

⑴ 敷均しは，盛土を均一に締め固めるために最も重要な作業であり［**薄層**］でていねいに敷均しを行えば均一でよく締まった盛土を築造することができる。

⑵ 盛土材料の含水量の調節は，材料の［**自然**］含水比が締固め時に規定される施工含水比の範囲内にない場合にその範囲に入るよう調節するもので，曝気乾燥，トレンチ掘削による含水比の低下，散水等の方法がとられる。

⑶ 締固めの目的として，盛土法面の安定や土の［**支持力**］の増加等，土の構造物として必要な［**強度特性**］が得られるようにすることがあげられる。

(4) 最適含水比，最大［**乾燥密度**］に締め固められた土は，その締固めの条件のもとでは土の間隙が最小である。

解答

(イ)	(ロ)	(ハ)	(ニ)	(ホ)
薄層	自然	支持力	強度特性	乾燥密度

問題２ □□□

盛土の締固め管理方法に関する次の文章の［　　］の（イ）～（ホ）に当てはまる適切な語句又は数値を，下記の語句又は数値から選び解答欄に記入しなさい。

R５［問題６］出題

(1) 盛土工事の締固め管理方法には，［　イ　］規定方式と［　ロ　］規定方式があり，どちらの方法を適用するかは，工事の性格・規模・土質条件など，現場の状況をよく考えた上で判断することが大切である。

(2) ［　イ　］規定方式のうち，最も一般的な管理方法は，現場における土の締固めの程度を締固め度で規定する方法である。

(3) 締固め度の規定値は，一般に JIS A 1210（突固めによる土の締固め試験方法）の A 法で道路土工に規定された室内試験から得られる土の最大［　ハ　］の［　ニ　］%以上とされている。

(4) ［　ロ　］規定方式は，使用する締固め機械の機種や締固め回数，盛土材料の敷均し厚さ等，［　ロ　］そのものを［　ホ　］に規定する方法である。

［語句又は数値］

施工，	80，	協議書，	90，	乾燥密度，
安全，	品質，	収縮密度，	工程，	指示書，
膨張率，	70，	工法，	現場，	仕様書

解説

「道路土工－盛土工指針」より。

(1) 盛土工事の締固め管理方法には，［**品質**］規定方式と［**工法**］規定方式があり，どちらの方法を適用するかは，工事の性格・規模・土質条件など，現場の状況をよく考えた判断することが大切である。

(2) ［**品質**］規定方式のうち，最も一般的な管理方法は，現場における土の締固めの程度を締固め度で規定する方法である。

⑶ 締固め度の規定値は，一般に JIS A 1210（突固めによる土の締固め試験方法）のA法で道路土工に規定された室内試験から得られる土の最大［**乾燥密度**］の［**90**］%以上とされている。

⑷ ［**工法**］規定方式は，使用する締固め機械の機種や締固め回数，盛土材料の敷均し厚さ等，［**工法**］そのものを［**仕様書**］に規定する方法である。

解答

(イ)	(ロ)	(ハ)	(ニ)	(ホ)
品質	工法	乾燥密度	90	仕様書

問題３ □□□

盛土に関する次の文章の［　　　］の（イ）～（ホ）に当てはまる適切な語句を，下記の語句から選び解答欄に記入しなさい。 H30［問題 6］出題

⑴ 盛土の施工で重要な点は，盛土材料を水平に敷くことと［　イ　］に締め固めることである。

⑵ 締固めの目的として，盛土法面の安定や土の支持力の増加など，土の構造物として必要な［　ロ　］が得られるようにすることが上げられる。

⑶ 締固め作業にあたっては，適切な締固め機械を選定し，試験施工などによって求めた施工仕様に従って，所定の［　ハ　］の盛土を確保できるよう施工しなければならない。

⑷ 盛土材料の含水量の調節は，材料の［　ニ　］含水比が締固め時に規定される施工含水比の範囲内にない場合にその範囲に入るよう調節するもので，［　ホ　］，トレンチ掘削による含水比の低下，散水などの方法がとられる。

［語句］

押え盛土，	膨張性，	自然，	軟弱，	流動性，
収縮性，	最大，	ばっ気乾燥，	強度特性，	均等，
多め，	スランプ，	品質，	最小，	軽量盛土

解説

(1) 盛土の施工で重要な点は，盛土材料を水平に敷くことと［**均等**］に締め固めることである。
(2) 締固めの目的として，盛土法面の安定や土の支持力の増加など，土の構造物として必要な［**強度特性**］が得られるようにすることが上げられる。
(3) 締固め作業にあたっては，適切な締固め機械を選定し，試験施工などによって求めた施工仕様に従って，所定の［**品質**］の盛土を確保できるよう施工しなければならない。
(4) 盛土材料の含水量の調節は，材料の［**自然**］含水比が締固め時に規定される施工含水比の範囲内にない場合にその範囲に入るよう調節するもので，［**ばっ気乾燥**］，トレンチ掘削による含水比の低下，散水などの方法がとられる。

解答

(イ)	(ロ)	(ハ)	(ニ)	(ホ)
均等	強度特性	品質	自然	ばっ気乾燥

問題３ □□□

盛土の締固め管理に関する次の文章の［　　　］の（イ）～（ホ）に当てはまる適切な語句を，下記の語句から選び解答欄に記入しなさい。

R１［問題６］出題

(1) 盛土工事の締固めの管理方法には，［　イ　］規定方式と［　ロ　］規定方式があり，どちらの方法を適用するかは，工事の性格・規模・土質条件などをよく考えたうえで判断することが大切である。
(2) ［　イ　］規定のうち，最も一般的な管理方法は，締固め度で規定する方法である。
(3) 締固め度＝$\dfrac{［\ ハ\ ］で測定された土の［\ ニ\ ］}{室内試験から得られる土の最大［\ ニ\ ］}\times 100$（％）
(4) ［　ロ　］規定方式は，使用する締固め機械の種類や締固め回数，盛土材料の［　ホ　］厚さなどを，仕様書に規定する方法である。

［語句］

積算，	安全，	品質，	工場，	土かぶり，
敷均し，	余盛，	現場，	総合，	環境基準，
現場配合，	工法，	コスト，	設計，	乾燥密度

解説

(1) 盛土工事の締固めの管理方法には，［**品質**］規定方式と［**工法**］規定方式があり，どちらの方法を適用するかは，工事の性格・規模・土質条件などをよく考えたうえで判断することが大切である。

(2) ［**品質**］規定のうち，最も一般的な管理方法は，締固め度で規定する方法である。

(3) 締固め度 $= \dfrac{［\textbf{現場}］で測定された土の［\textbf{乾燥密度}］}{室内試験から得られる土の最大［\textbf{乾燥密度}］} \times 100$（%）

(4) ［**工法**］規定方式は，使用する締固め機械の種類や締固め回数，盛土材料の［**敷均し**］厚さなどを，仕様書に規定する方法である。

解答

(イ)	(ロ)	(ハ)	(ニ)	(ホ)
品質	工法	現場	乾燥密度	敷均し

問題4 □□□

盛土の品質を確保するために行う敷均し及び締固めの施工上の留意事項をそれぞれ解答欄に記述しなさい。

H29［問題 8］出題

解答欄

1. **敷均しの施工上の留意事項**

2. **締固めの施工上の留意事項**

解説

1. **敷均し**

・**高巻きを避け，水平の層に薄く敷均す。**

・締固め時に規定される施工含水比が得られるように，敷均し時に含水量調整を行う。

2. **締固め**

・盛土材料の含水比を，締固め時に規定される**施工含水比の範囲以内に入るように調節**する。（ばっ気乾燥，散水など）

・盛土材料の土質に応じて**適切な機種，重量の締固め機械を選定**する。

・施工期間中の**排水処理を十分に行う**。

・運搬機械の走行路を固定せず切り回しを行うことで運搬機械の走行による締固め効果が均等に得られるようにする。

・盛土のすり付け部や端部，締固めが不十分となりやすいので，小型の機械を用いる。

以上から敷均しと締固めのそれぞれについて内容を絞り類似するものを避けて，解答欄に納まるように簡潔に記述する。

盛土材料

盛土材料として要求される一般的性質は，次のとおりである。

① 施工機械のトラフィカビリティが確保できる

② 所定の締固めが行いやすい

③ 締固められた土のせん断強さが大きく，圧縮性（沈下量）が小さい

④ 透水性が小さい

⑤ 有機物（草木・その他）を含まない

⑥ 吸水による膨潤性が低い

※使用できないと考えられる材料にはベントナイト，凍土，腐植土などがあげられる。普通の土であっても，自然含水比が液性限界を超えるような土は施工性が悪くそのままでは利用できない場合がある。

関連問題&よくわかる解説

問題1 □□□

盛土の安定性を確保し良好な品質を保持するために求められる盛土材料として，望ましい条件を2つ解答欄に記述しなさい。 H27［問題 8］出題

解答欄

盛土材料として望ましい条件

1. ______

2. ______

解説

盛土材料として要求される一般的性質は，次のとおりである。

・所定の締固めが行いやすく，施工機械のトラフィカビリティが確保できること。

・締固められた土のせん断強さが大きく，圧縮性（沈下量）が小さいこと。

・降雨等の浸水に対して，透水性が小さく，吸水による膨潤性の低いこと。

・有機物（草木・その他）を含まないこと。

したがって，上記から2つを選び，解答欄に記述してください。

コンクリート（受入検査）

レディーミクストコンクリートの呼び方は，コンクリートの種類による記号，呼び強度，スランプまたはスランプフロー，粗骨材の最大寸法およびセメントの種類による記号による。

「普通—24—8—20—N」と指定したレディーミクストコンクリートでは，

→20の数値は，**粗骨材の最大寸法**である。

→8の数値は，荷おろし地点での**スランプ**の値である。

→24の数値は，**呼び強度**の値である。

受入検査

レディーミクストコンクリートの受入れ検査は，受入れ側の責任のもとに実施し，**荷卸し時**に行う。

① スランプ又はスランプフロー　② 空気量
③ 塩化物量（塩化物イオン含有量）④ コンクリート温度
⑤ コンクリートの圧縮強度（供試体の採取）

スランプ

スランプ試験は，現場におけるコンクリートのやわらかさ（流動性）を判断するために広く用いられており，一般に，この試験によって均等質なコンクリートが作られているかどうかも判断できる。

スランプ値　（単位：cm）

スランプ	スランプの許容差
2.5	±1
5及び6.5	±1.5
8以上18以下	**±2.5**
21	±1.5

・スランプの設定にあたっては，施工できる範囲内でできるだけスランプが**小さく**なるように，事前に打込位置や箇所，締固め作業高さや内部振動機の挿入間隔，1回当たりの打込み高さや打上り速度等の施工方法について十分に検討する。

・打込みの最小スランプは，打込み時に円滑かつ密実に型枠内に打ち込むために必要な最小のスランプをいい，作業が容易にできる程度を表す**ワーカビリティー**をコンクリートに付与する必要がある。

空気量

・コンクリートは**凍害**（耐凍害性）の改善効果のあるAEコンクリートを原則とし，その空気量は粗骨材の最大寸法，その他に応じてコンクリート容積の**4〜7%**を標準とする。

空気量　（単位：%）

コンクリートの種類	空気量	許容差
普通コンクリート	4.5	**±1.5**
軽量コンクリート	5.0	
舗装コンクリート	4.5	
高強度コンクリート	4.5	

・適切な空気量は**ワーカビリティー**の改善に寄与する。

塩化物量（塩化物含有量）

・練混ぜ時にコンクリート中に含まれる**塩化物含有量（塩化物イオン総量）**は，原則として**0.30kg/m^3**以下とする。

強度（圧縮強度試験）

・強度の検査は，圧縮強度試験を行って確認する。試験回数は，標準示方書では，荷卸し時に1回／日または構造物の重要度と工事の規模に応じて20〜150m^{3}ごとに1回，および荷卸し時に品質変化が認められた時と定められている。コンクリートの強度は，一般に現場水中養生を行った円柱供試体の**材齢28日**における圧縮強度を標準とする。コンクリートの圧縮強度試験は，3本の供試体を用いて3回1セットで実施され，次の条件を満足するものでなければならない。

① 1回の試験の結果は，購入者が指定した**呼び強度**の**強度値**の**85%以上**
② 3回の試験の**平均値**は，購入者が指定した**呼び強度**の**強度値以上**

圧縮強度試験の合否判定　　　　単位（N/mm^2）

呼び強度	例	1回の試験における圧縮強度値			判定基準		判定
		1回目	2回目	3回目	1回の試験値が20.4以上	3回の試験値の平均値が24以上	
24	A工区	25.5	23.5	27.0	OK	25.3＞24 OK	合格
	B工区	20.0	27.5	26.5	1回目 NG	24.7＞24 OK	不合格
	C工区	22.5	23.5	24.5	OK	23.5＜24 NG	不合格

アルカリ骨材反応（アルカリシリカ反応）

・**骨材中のシリカ分**とセメントなどに含まれる**アルカリ性の水分が反応**して**骨材の表面に膨張性の物質が生成**され，これが吸水膨張して**コンクリートにひび割れ**が生じる現象である。

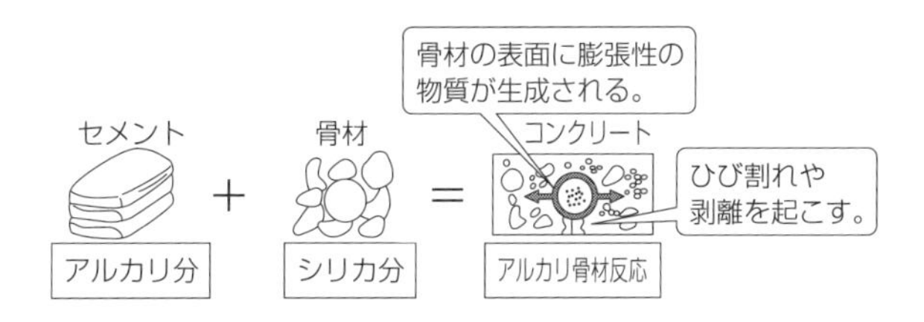

・**防止対策**…① アルカリシリカ反応の抑制効果のある混合セメントを使用する。
② コンクリート中のアルカリ総量を$3.0kg/m^3$以下とする。
③ 無害と確認された骨材を使用する。

※アルカリシリカ反応は，その対策が講じられていることを，**配合**計画書を用いて確認する。

関連問題&よくわかる解説

問題１ □□□

レディーミクストコンクリート（JIS A 5308）の受入れ検査に関する次の文章の［　　］の（イ）～（ホ）に当てはまる適切な語句又は数値を，下記の語句又は数値から選び解答欄に記入しなさい。

R４［問題７］出題

⑴　スランプの規定値が12cmの場合，許容差は±［　イ　］cmである。

⑵　普通コンクリートの［　ロ　］は4.5％であり，許容差は±1.5％である。

⑶　コンクリート中の［　ハ　］含有量は0.30kg/m³以下と規定されている。

⑷　圧縮強度の１回の試験結果は，購入者が指定した［　ニ　］強度の強度値の［　ホ　］％以上であり，３回の試験結果の平均値は，購入者が指定した［　ニ　］強度の強度値以上である。

［語句又は数値］

単位水量,	空気量,	85,	塩化物,	75,
せん断,	95,	引張,	2.5,	不純物,
7.0,	呼び,	5.0,	骨材表面水率,	アルカリ

解説

「レディーミクストコンクリート（JIS A 5308）」より。

⑴　スランプの規定値が12cmの場合，許容差は±［**2.5**］cmである。

⑵　普通コンクリートの［**空気量**］は4.5％であり，許容差は±1.5％である。

⑶　コンクリート中の［**塩化物**］含有量は0.30kg/m³以下と規定されている。

⑷　圧縮強度の１回の試験結果は，購入者が指定した［**呼び**］強度の強度値の［**85**］％以上であり，３回の試験結果の平均値は，購入者が指定した［**呼び**］強度の強度値以上である。

解答

（イ）	（ロ）	（ハ）	（ニ）	（ホ）
2.5	空気量	塩化物	呼び	85

問題2 □□□

レディーミクストコンクリート（JIS A 5308）の品質管理に関する次の文章の［　　　］の（イ）～（ホ）に当てはまる適切な語句又は数値を，下記の語句から選び解答欄に記入しなさい。

H27［問題 6］出題

⑴　レディーミクストコンクリートの購入時の品質の指定

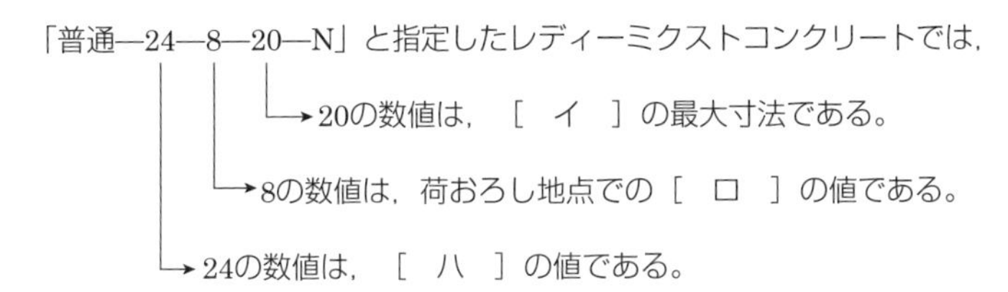

⑵　レディーミクストコンクリートの受け入れ検査項目の空気量と塩化物含有量

- 普通コンクリートの空気量4.5％の許容差は，［　ニ　］％である。
- レディーミクストコンクリートの塩化物含有量は，荷おろし地点で塩化物イオン量として［　ホ　］kg/m³以下である。

［語句又は数値］

スランプコーン，	曲げ強度，	引張強度	±1.5，	0.2，
スランプフロー，	呼び強度，	スランプ，	±2.5，	0.3，
粗骨材，	細骨材，	骨材，	±3.5，	0.4

解説

⑴　レディーミクストコンクリートの購入時の品質の指定

レディーミクストコンクリートの呼び方は，「コンクリートの種類による記号，呼び強度，スランプ（またはスランプフロー），粗骨材の最大寸法およびセメントの種類による記号による。」とされている。

品質管理

「普通―24―8―20―N」と指定したレディーミクストコンクリートでは，

- 20の数値は，［**粗骨材**］の最大寸法である。
- 8の数値は，荷おろし地点での［**スランプ**］の値である。
- 24の数値は，［**呼び強度**］の値である。

⑵ レディーミクストコンクリートの受け入れ検査項目の空気量と塩化物含有量

・普通コンクリートの空気量4.5％の許容差は，［**±1.5**］％である。

・レディーミクストコンクリートの塩化物含有量は，荷おろし地点で塩化物イオン量として［**0.3**］kg/m³以下である。

レディーミクストコンクリートの受け入れに当たっては，必ず受け入れ検査（強度，スランプ，空気量，塩化物イオン量等）を行わなければならないとされている。

・空気量の変動は，コンクリートのワーカビリティー，強度及び耐久性に影響を与える。そのため，AEコンクリートを用いる場合には，空気量が適切かどうかを確かめるために試験を行う。空気量の許容差は［**±1.5**］％である。

・コンクリートに含まれる塩化物含有量は，荷おろし地点で，塩化物イオンとし［**0.3**］kg/m³以下でなければならない。なお，塩化物含有量の検査は，工場出荷時でも，荷おろし地点での所定の条件を満足するので工場出荷時に行うことができる。

解答

（イ）	（ロ）	（ハ）	（ニ）	（ホ）
粗骨材	スランプ	呼び強度	±1.5	0.3

問題3 □□□

レディーミクストコンクリート（JIS A 5308）の普通コンクリートの荷おろし地点における受入検査の各種判定基準に関する次の文章の［　　］の（イ）～（ホ）に当てはまる適切な語句を，下記の語句又は数値から選び解答欄に記入しなさい。　H30［問題 7］出題

(1) スランプが12cmの場合，スランプの許容差は±［　イ　］cmであり，［　ロ　］は4.5％で，許容差は±1.5％である。

(2) コンクリート中の［　ハ　］は0.3kg/m³以下である。

(3) 圧縮強度の1回の試験結果は，購入者が指定した呼び強度の［　ニ　］の［　ホ　］％以上である。また，3回の試験結果の平均値は，購入者が指定した呼び強度の［　ニ　］以上である。

［語句又は数値］

骨材の表面水率，	補正値，	90，	塩化物含有量，	2.5，
アルカリ総量，	70，	空気量，	1.0，	標準値，
強度値，	ブリーディング，	2.0，	水セメント比，	85

解説

(1) スランプが12cmの場合，スランプの許容差は±［**2.5**］cmであり，［**空気量**］は4.5％で，許容差は±1.5％である。

(2) コンクリート中の［**塩化物含有量**］は0.3kg/m³以下である。

(3) 圧縮強度の1回の試験結果は，購入者が指定した呼び強度の［**強度値**］の［**85**］％以上である。また，3回の試験結果の平均値は，購入者が指定した呼び強度の［**強度値**］以上である。

解答

（イ）	（ロ）	（ハ）	（ニ）	（ホ）
2.5	空気量	塩化物含有量	強度値	85

問題4 □□□

レディーミクストコンクリート（JIS A 5308）の受入れ検査に関する次の文章の［　　］の（イ）～（ホ）に当てはまる適切な語句又は数値を，下記の語句から選び解答欄に記入しなさい。 R１［問題７］出題

⑴ ［　イ　］が8cmの場合，試験結果が±2.5cmの範囲に収まればよい。

⑵ 空気量は，試験結果が±［　ロ　］％の範囲に収まればよい。

⑶ 塩化物イオン濃度試験による塩化物イオン量は［　ハ　］kg/m³以下の判定基準がある。

⑷ 圧縮強度は，1回の試験結果が指定した［　ニ　］の強度値の85％以上で，かつ3回の試験結果の平均値が指定した［　ニ　］の強度値以上でなければならない。

⑸ アルカリシリカ反応は，その対策が講じられていることを，［　ホ　］計画書を用いて確認する。

［語句又は数値］

フロー，	仮設備，	スランプ，	1.0，	1.5，
作業，	0.4，	0.3，	配合，	2.0，
ひずみ，	せん断強度，	0.5，	引張強度，	呼び強度

解説

⑴ ［**スランプ**］が8cmの場合，試験結果が±2.5cmの範囲に収まればよい。

⑵ 空気量は，試験結果が±［**1.5**］％の範囲に収まればよい。

⑶ 塩化物イオン濃度試験による塩化物イオン量は［**0.3**］kg/m³以下の判定基準がある。

⑷ 圧縮強度は，1回の試験結果が指定した［**呼び強度**］の強度値の85％以上で，かつ3回の試験結果の平均値が指定した［**呼び強度**］の強度値以上でなければならない。

⑸ アルカリシリカ反応は，その対策が講じられていることを，［**配合**］計画書を用いて確認する。

解答

（イ）	（ロ）	（ハ）	（ニ）	（ホ）
スランプ	1.5	0.3	呼び強度	配合

問題5 □□□

レディーミクストコンクリート（JIS A 5308）の普通コンクリートの荷卸し地点における受入れ検査に関する次の文章の［　　　］の（イ）～（ホ）に当てはまる適切な語句又は数値を，下記の語句又は数値から選び，解答欄に記入しなさい。

H26［問題 4－1］出題

強度試験の1回の試験結果は，指定した呼び強度の強度値の［　イ　］%以上でなければならず，また，3回の試験結果の［　ロ　］は，指定した呼び強度の強度値以上でなければならない。

スランプが8.0cmの場合，スランプの許容差は±［　ハ　］cmであり，普通コンクリートの［　ニ　］は4.5%で，許容差は±1.5%と定めている。また，塩化物含有量は，塩化物イオン量として［　ホ　］kg/m³以下でなければならない。

［語句又は数値］

セメント量,	5,	最小値,	2.5,
85,	最大値,	0.3,	70,
空気量,	0.5,	90,	単位水量,
1.5,	0.1,	平均値	

解説

レディーミクストコンクリートを用いる場合は，原則としてJIS A 5308による。荷卸し地点における受入れ検査（強度，スランプ，空気量，及び塩化物含有量）に関して以下の規定がある。

○　コンクリートの強度は，一般に標準養生を行った円柱供試体の材齢28日における圧縮強度を標準とする。コンクリートの強度は次の条件を満足するものでなければならない。

・1回の試験の結果は，購入者が指定した呼び強度の強度値の［**85**］%以上

・3回の試験の［**平均値**］は，購入者が指定した呼び強度の強度値以上

○　スランプ試験は，現場におけるコンクリートのやわらかさを判断するために広く用いられており，一般に，この試験によって均等質なコンクリートが作られているかどうかも判断できる。スランプ8cmの場合は，スランプの許容差は，±［**2.5**］cmとされている。

スランプ値　（単位：cm）

スランプ	スランプの許容差
2.5	±1
5及び6.5	±1.5
8以上18以下	±2.5
21	±1.5

○　普通コンクリートの［**空気量**］は4.5%，空気量の許容差は±1.5%である。レディーミクストコンクリートの塩化物イオン含有量は，荷卸ろし地点で，塩化物イオンとして［**0.3**］kg/m³以下でなければならない。

空気量　（単位：%）

コンクリートの種類	空気量	許容差
普通コンクリート	4.5	±1.5
軽量コンクリート	5.0	
舗装コンクリート	4.5	
高強度コンクリート	4.5	

解答

(イ)	(ロ)	(ハ)	(ニ)	(ホ)
85	平均値	2.5	空気量	0.3

問題6　□□□

レディーミクストコンクリート（JIS A 5308）「普通-24-8-20-N」（空気量の指定と塩化物含有量の協議は行わなかった）の荷おろし時に行う受入れ検査に関する下記の項目の中から2項目を選び，その項目の試験名と判定内容を，記入例を参考に解答欄に記述しなさい。　H28［問題 8］出題

・スランプ

・塩化物イオン量

・圧縮強度

解答欄

（記入例）

項目；空気量

普通コンクリートの空気量の標準値は4.5％で許容差は±1.5％である。

1．項目；

2．項目；

解説

「普通-24-8-20-N」のレディーミクストコンクリートの品質は，次の通りである。

コンクリートの種類	普通
呼び強度	24N/mm^2
スランプ	8cm
粗骨材の最大寸法	20mm
セメントの種類	普通ポルトランドセメント

●スランプ

スランプ値の判定内容はP. 131表 スランプ値の範囲内でなければならないとされている。

よって，試験名が「スランプ」の判定内容の記述例

「スランプ値は8cmで，その許容差は±2.5cmである。」

●塩化物イオン量

フレッシュコンクリートに含まれる塩化物含有量は，荷卸し地点で塩化物イオンとして0.30kg/m^{3}以下でなければならない。ただし，購入者の承認を受けた場合には，0.60kg/m^{3}以下とすることができる。なお，塩化物含有量の検査は，工場出荷時でも，荷卸し地点でも所定の条件を満足するので工場出荷時に行うことができる。

試験名が「塩化物イオン量」の判定内容の記述例

「コンクリートに含まれる塩化物イオン量は，0.30kg/m^{3}以下である。」

品質管理

●圧縮強度

コンクリートの強度は，一般に標準養生を行った円柱供試体の材齢28日における圧縮強度を標準とする。コンクリートの強度は次の条件を満足するものでなければならないとされている。

・1回の試験結果は指定した呼び強度の85％以上であること。

・3回の試験結果の平均値は，指定した呼び強度の強度値以上であること。

試験名が「圧縮強度」の判定内容の記述例

「1回の圧縮強度試験値がそれぞれ20.4N/mm^{2}以上であり，かつ3回の圧縮強度試験値の平均が24N/mm^{2}以上である。」

したがって，以上の試験名と判定内容の組合わせのうちから2つを選び，解答欄に記述する。

問題7 □□□

レディーミクストコンクリート（**JIS A 5308**）を購入し，構造物の各部位で圧縮強度試験を行い，下表の結果が得られた。次の⑴⑵について，解答欄に記入しなさい。

なお，購入したコンクリートは，普通コンクリート，呼び強度**24N/mm²**である。

H22［問題 3－2］出題

圧縮強度試験　結果表

部位＼試験回数	1回	2回	3回
A 部位	21	24	21
B 部位	20	22	19
C 部位	25	23	27
D 部位	26	24	26
E 部位	25	20	28
F 部位	23	23	27

※毎回の圧縮強度値は3個の供試体の平均値
※単位 N/mm²

⑴　圧縮強度試験の18回の試験結果より，購入者が指定した呼び強度の1回の圧縮試験値を満足する試験の合計数。

⑵　A～F部位のうち，圧縮強度試験の値がJIS規定を満足する部位の合計数。

解答欄

⑴　**圧縮強度試験の18回の試験結果より，購入者が指定した呼び強度の1回の圧縮試験値を満足する試験の合計数。**

⑵　**A～F部位のうち，圧縮強度試験の値がJIS規定を満足する部位の合計数。**

品質管理

解説

レディーミクストコンクリート（JIS A 5308）の強度は，以下の2つの規定を同時に満足していなければならないと定められている。

(a) 1回の試験結果は，購入者が指定した呼び強度の強度値の85％以上でなければならない。設問では，呼び強度が24N/mm²であり，その85％以上ということは，24×0.85＝20.4N/mm²以上必要となる。

試験結果では，20.4N/mm²以下の圧縮強度は，B部位に2個，E部位1個があり，これらの3個が不合格となる。

(b) 3個の試験結果の平均値は，購入者が指定した呼び強度値以上でなければならない。試験結果では，A部位，B部位のそれぞれの平均値は，22.0N/mm²，20.3N/mm²であり，呼び強度の24N/mm²以下であることから，不合格となる。

また，検査ロットとしては，①と②の規定を同時に満足したロットが合格となるために，C，D，F部位が合格となる。

これを分りやすく一覧表にすると，次のようになる。

強度試験結果の合否判定

呼び強度	検査ロット	同一バッチ3個の供試体の試験結果の平均値（N/mm²）			判定基準				総判定
					(a)		(b)		
					各回の試験結果が呼び強度の85％以上 24×0.85＝20.4N/mm²		3個の試験結果の平均値が呼び強度以上 24.0N/mm²以上		
		①	②	③	＜20.4	判定	＞24	判定	
24	A部位	21	24	21		合格	(21＋24＋21)÷3＝22.0	不合格	不合格
	B部位	20	22	19	①　③	不合格	(20＋22＋19)÷3＝20.3	不合格	不合格
	C部位	25	23	27		合格	(25＋23＋27)÷3＝25.0	合格	合格
	D部位	26	24	26		合格	(26＋24＋26)÷3＝25.3	合格	合格
	E部位	25	20	28	②	不合格	(25＋20＋28)÷3＝24.3	合格	不合格
	F部位	23	23	27		合格	(23＋23＋27)÷3＝24.3	合格	合格

したがって(1)圧縮強度試験の18個の試験結果より，購入者が指定した呼び強度の1回の試験値を満足する試験回数は，（a）欄で20.4N/mm^{2}以上の**15個**である。

また，(2) A～F部位のうち，圧縮強度試験の値がJIS規定を満足する部位の合計数は，判定欄の合格で示される**C，D，F部位の3個**となる。

問題8 □□□

コンクリートの品質管理に関する，次の文章の［　　　］の（イ）～（ホ）に当てはまる適切な語句又は数値を，下記の語句から選び解答欄に記入しなさい。

H25［問題 4－1］出題

(1) スランプの設定にあたっては，施工できる範囲内でできるだけスランプが［　イ　］なるように，事前に打込み位置や箇所，1回当たりの打込み高さなどの施工方法について十分に検討する。

打込みのスランプは，打込み時に円滑かつ密実に型枠内に打ち込むために必要なスランプで，作業などを容易にできる程度を表す［　ロ　］の性質も求められる。

(2) AEコンクリートは，［　ハ　］に対する耐久性がきわめて優れているので，厳しい気象作用を受ける場合には，AEコンクリートを用いるのを原則とする。標準的な空気量は，練上り時においてコンクリートの容積の［　ニ　］%程度とすることが一般的である。適切な空気量は［　ロ　］の改善もはかることができる。

(3) 締固めが終わり打上り面の表面の仕上げにあたっては，表面に集まった水を，取り除いてから仕上げなければならない。この表面水は練混ぜ水の一部が表面に上昇する現象で［　ホ　］という。

［語句］

1～3，	凍害，	強く，	ブリーディング，	プレストレスト，
レイタンス，	ワーカビリティー，	水害，	8～10，	小さく，
クリープ，	4～7，	大きく，	コールドジョイント，	塩害

解説

(1) スランプの設定にあたっては，施工できる範囲内でできるだけスランプが［**小さく**］なるように，事前に打込位置や箇所，締固め作業高さや内部振動機の挿入間隔，1回当たりの打込み高さや打上り速度等の施工方法について十分に検討しな

品質管理

ければならない。

打込みの最小スランプは，打込み時に円滑かつ密実に型枠内に打ち込むために必要な最小のスランプをいい，作業が容易にできる程度を表す［**ワーカビリティー**］をコンクリートに付与する必要がある。

⑵ AEコンクリートとすることによる［**凍害**］（耐凍害性）の改善効果は非常に大きく，コンクリートは，原則としてAEコンクリートとする。標準的な空気量は，練上り時においてコンクリート容積の［**4～7**］%程度とするのが一般的である。適切な空気量は［**ワーカビリティー**］の改善もはかることができる。

⑶ 締固めが終わり，ほぼ所定の高さおよび形に均したコンクリートの上面は，しみ出た水がなくなるかまたは上面の水を取り除くまで仕上げてはならない。この水は練混ぜ水の一部が遊離して上昇する現象で［**ブリーディング**］という。

解答

（イ）	（ロ）	（ハ）	（ニ）	（ホ）
小さく	ワーカビリティー	凍害	4～7	ブリーディング

特殊な配慮が必要なコンクリート（暑中・寒中・マスコンクリート）

寒中コンクリート

日平均気温が4℃以下になるような気象条件のもとでは，コンクリートが凍結するおそれがあり，コンクリートを凝結硬化の初期に凍結させると，強度・耐久性・水密性に著しい悪影響を残すことになるので，コンクリートを凍結させないように寒中コンクリートとしての処置を講ずる必要がある。

① **材料・配合**

- **AE剤，AE減水剤あるいは高性能AE減水剤**を用いて，できるだけ**単位水量を少なくする**。適当な空気量を連行することによりコンクリートの耐凍害性も改善される。
- **材料を加熱する**場合は，**練り混ぜ水，もしくは骨材を加熱**する。**練り混ぜ温度は40℃を超えない**ように調節する。いかなる場合にも，**セメントを直接加熱してはならない**。

② **施工・養生**

- 打設時のコンクリート温度は，**5～20℃の範囲**でこれを定めることとする。気象条件が厳しい場合や部材厚の薄い場合には，**最低打込み温度**は**10℃**程度確保する。
- 鉄筋，型枠，打継目の旧コンクリートなどに**氷雪が付着**したり凍結したりしているときは，コンクリート打込み前に適当な方法で加温してこれを融かさなければならない。
- コンクリート打込み後は少なくとも24時間は，コンクリートが凍結しないように保護しなければならない。厳しい気象作用を受けるコンクリートは，初期凍害を防止できる強度が得られるまで**コンクリートの温度を5℃以上**に保ち，さらに**2日間は0℃以上**に保つことを標準とする。
- **ジェットヒータ・練炭等を用いた給熱養生**を行う。コンクリートに給熱する場合，コンクリートが**急激に乾燥**することや**局部的に熱せられることがないようにしなければならない**。
- **保温養生あるいは給熱養生終了後**に急に寒気にさらすと，コンクリート表面にひび割れが生じるおそれがあるので，**適当な方法で保護して表面の急冷を防止する**。

暑中コンクリート

日平均気温が25℃を超える時期に施工する場合には，暑中コンクリートとして，ワーカビリティーの確保・コールドジョイントの防止等に注意し施工しなければならない。

① 材料・配合

・練上りコンクリートの温度を低くするためには，なるべく低温度の材料を用いる必要がある。骨材は光の直射を避けて貯蔵し，**散水して水の気化熱による温度降下をはかるのが望ましい**。また，**練混ぜ水にはできるだけ低温度**のものを用いる。

・**減水剤**，**AE 剤**，**AE 減水剤**あるいは**流動化剤等**を用いて**単位水量を少なく**し，かつ，発熱をおさえるため**単位セメント量を少なく**するのがよい。なお，暑中コンクリートに用いる減水剤およびAE減水剤は，**遅延形**のものを用いる。

② 施工・養生

・コンクリートを打ち込む前には，地盤・型枠等のコンクリートから**吸水されそうな部分は十分湿潤状態に保ち**，また，型枠・鉄筋等が直射日光を受けて**高温となる場合には散水・覆い等の適切な処置を施す**。また，打込み時のコンクリート温度は，一般に**35℃以下**とする。

・**練り混ぜから打設終了までの時間（1.5時間），許容打ち重ね時間間隔（2.0時間）を厳守する。**

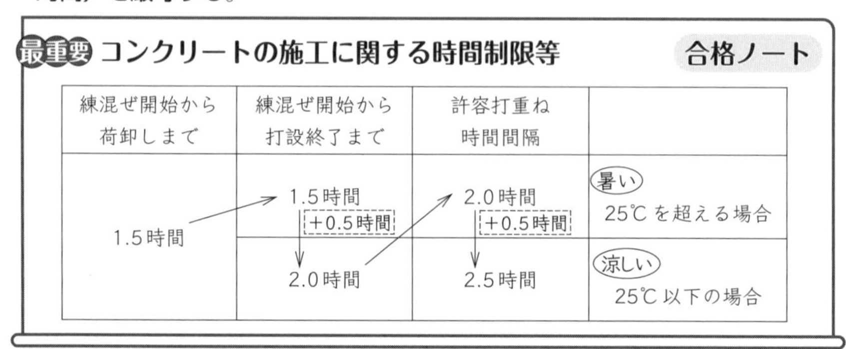

最重要 コンクリートの施工に関する時間制限等 合格ノート

練混ぜ開始から荷卸しまで	練混ぜ開始から打設終了まで	許容打重ね時間間隔	
1.5時間	1.5時間 +0.5時間	2.0時間 +0.5時間	暑い 25℃を超える場合
	2.0時間	2.5時間	涼しい 25℃以下の場合

・打込み直後の急激な乾燥によってひび割れが生じることがあるので，**直射日光，風等を防ぐ**ため散水または覆い等による適切な処置を行う。

・**木製型枠のようにせき板沿いに乾燥**が生じるおそれのある場合には，型枠も湿潤状態に保つ必要がある。型枠を取り外した後も養生期間中は露出面を湿潤に保つ。

マスコンクリート

大塊状に施工される質量や体積の大きいコンクリートを指し，ダムや橋桁，大きな壁といった大規模な構造物をマスコンクリートという。セメントの水和熱によるコンクリート内部の温度上昇が大きく，そのためひび割れを生じやすいので，打設後の温度上昇がなるべく少なくなるように注意が必要となる。

① 材料・配合

・所要のワーカビリティー・強度・耐久性・水密性等が確保される範囲内で，**単位セメント量ができるだけ少なくなる**よう，これを定めなければならない。

・**低発熱形の中庸熱ポルトランドセメント，高炉セメント，フライアッシュセメント**等を用いることが望ましい。

・**減水剤，AE 剤，AE 減水剤等を用いて単位水量を少なく**，ワーカビリティーを改善しかつ，発熱をおさえるため単位セメント量を少なくするのがよい。（温度ひび割れの抑制）

② 施工・養生

・コンクリートの製造時の温度調節，**打込み区画の大きさやリフト高さ，継目の位置，打込み時間間隔等を適切に選定**する。

・構造物の種類によっては，ひび割れ誘発目地によりひび割れの発生位置の制御を行うことが効果的な場合もある。

・コンクリート部材**内外の温度差が大きくならないよう**，また，部材全体の温度降下速度が大きくならないよう，コンクリート温度をできるだけ緩やかに外気温に近づける配慮が必要であり，必要に応じてコンクリート表面を断熱性の良い材料（スチロール，シートなど）で覆う保温，保護を行うなどの処置をとるのがよい。

・打込み後の温度制御方法としてパイプクーリングを行う。パイプクーリングは，コンクリート内に埋め込まれたパイプに冷却水または自然の河川水等を通水することにより行われる。**コンクリート温度との冷却水との温度差は20度以下が目安**で，温度差が大きくなりすぎないように注意する。

関連問題&よくわかる解説

問題１ □□□

次の各種コンクリートの中から２つ選び，それぞれについて打ち込み時又は養生時に留意する事項を解答欄に記述しなさい。 R２［問題８］出題

・寒中コンクリート　　・暑中コンクリート

・マスコンクリート

解答欄

1.	コンクリートの種類	
	打ち込み時又は養生時の留意事項	
2.	コンクリートの種類	
	打ち込み時又は養生時の留意事項	

解説

○　打ち込み時又は養生時の留意事項

寒中コンクリート	・施工箇所の周辺をシートで覆い，風による温度低下を防止する。 ・最低打込み温度は10℃程度を確保する。（打設時のコンクリート温度は，5～20℃の範囲とする） ・鉄筋，型枠，打継目の旧コンクリートなどに氷雪が付着したり凍結したりしているときは，コンクリート打込み前に適当な方法で加温してこれを融かす。 ・露出面が風・雪にさらされることのないように打ち込み後ただちにシート等で表面を覆う。 ・伝熱マット・ジェットヒータ・練炭等を用いた給熱養生を行う。 ・所要の圧縮強度が得られるまでコンクリートの温度を5℃以上に保ち，さらに2日間は0℃以上に保つ。

暑中コンクリート	・コンクリートを打込む前に，コンクリートから吸水するおそれのある部分は，散水等を行い，湿潤状態とする。 ・直射日光などを受け高温となる場合には，散水，覆い等を設ける。 ・打込み時のコンクリート温度は，35℃以下を標準とする。 ・練り混ぜ始めてから打ち終わるまでの時間は，1.5時間以内を原則とする。 ・コンクリートを打ち終わったら速やかに養生を開始し，コンクリートの表面を乾燥から保護する。 ・木製型枠などのように乾燥が生じるおそれのある場合には，型枠も湿潤状態に保ち，型枠を取り外した後も養生期間中は露出面を湿潤に保つ。 ・気温が高く，湿度が低い場合には，直射日光，風等を防ぐため，散水または覆いなどによる適切な処置をする。
マスコンクリート	・コンクリートの製造時の温度調節，打込み区画の大きさやリフト高さ，継目の位置，打込み時間間隔等を適切に選定する。 ・コンクリートの打込み温度ができるだけ低くなるように，コンクリート打設箇所に事前に散水を行う。 ・コンクリート部材内外の温度差が大きくならないよう，コンクリート温度をできるだけ緩やかに外気温に近づけるよう配慮する。 ・コンクリート表面の急冷を防止するために断熱性の良い材料（スチロール，シートなど）で覆う保温，保護を行う。 ・パイプクーリングを行う場合は，コンクリート温度との冷却水との温度差は20度以下が目安で，温度差が大きくなりすぎないように注意する。

鉄筋・型枠の組立

・受注者は，工事に使用した材料の品質を証明する，**試験成績表**，性能試験結果，ミルシート等の品質規格証明書を受注者の責任において整備，保管しなければならない。

・鉄筋は，設計図書に示された形状及び**寸法**に一致するよう，材質を害さない方法で加工しなければならない。

・鉄筋のかぶりを正しく保つために，使用箇所に適した材質の**スペーサ**を必要な間隔に配置しなければならない。

鉄筋の継手の検査

鉄筋の継手の検査

継手の名称	検査項目	試験・検査方法	時期・回数	判定基準
重ね継手	位置	目視及びスケールによる測定	組立後	設計図書どおりであること
	継手長さ			
ガス圧接継手	位置	目視，必要に応じてスケール，ノギス等による測定	全数	設計図書どおりであること
	外観検査			日本圧接協会「鉄筋のガス圧接工事標準仕様書」の規定に適合する他，鉄筋定着・継手指針によること
	超音波探傷検査※2	JIS Z 3062の方法	抜取り※1	
突合せアーク溶接継手	計測，外観目視検査	目視及びスケールによる測定	全数	設計図書どおりであること 表面欠陥がないこと
	詳細外観検査	ノギスその他適当な計測器具	5%以上	編心：直径の1/10以内かつ，3mm以内 角折れ：測定長さの1/10以内 詳細は鉄筋定着・継手指針によること
	超音波探傷検査	JIS Z 3062の方法	抜取り率20%以上かつ30か所以上	基準レベルより24dB感度を高めたレベル。詳細は鉄筋定着・継手指針によること
機械式継手	検査方法については，各工法による。詳細については鉄筋定着・継手指針によること。			

（注）※1　1検査ロットは，原則として同一作業班が同一日に施工した圧接か所とし，その大きさは200か所程度を標準とする。手動ガス圧接の場合，SD490は全数検査，SD490以外は1検査ロット毎に30か所抜取検査。自動ガス圧接の場合，1検査ロット毎に10か所抜取検査。

※2　熱間押抜法の場合は省略可

機械式継手の検査（施工後検査を抜粋）

継手の名称			検査項目	判定基準
機械式継手	スリーブ圧縮継手	連続圧着方式 断続圧着方式	鉄筋の挿入長さ	スリーブ両端と挿入マークが所定の位置にあること
			スリーブの圧着長さ，圧着回数，圧着後外径	スリーブが適正に圧着され，スリーブの圧着後外径が規定以下であること
			圧着後のスリーブ外観	圧着による割れや有害な傷がないこと
	モルタル充てん継手		挿入長さ	継手両端にマーキングがかかっていること
			充てん	排出孔より排出していること
			グラウト強度	所定の数値以上であること
			養生	所定の方法で，所定の強度に達するまで養生されていること
	ねじふし鉄筋継手	トルク固定方式	嵌合長さ	両端の嵌合マークが，ロックナット端の所定位置にあること
			締付けの完了	合マークがずれていること
			導入トルク値	規定トルク値が導入されていること
		グラウト固定方式	嵌合長さ	両端の嵌合マークがカプラー端の所定の位置にあること
			グラウトの充てん完了	カプラーの両端からグラウトが溢れ出ていること
			充てん後の養生	グラウト充てん後，硬化に悪影響を及ぼされないように養生されていること
			グラウト強度	規格値を満足すること
	スリーブ圧着ネジ継手		嵌合検査	スリーブ同士またはスリーブとナットの端面同士が密着していること
			締付けの完了検査	スリーブ同士またはスリーブとナットにつけた合マークがずれていること
			導入トルク値	規格トルク値が導入されていること
	摩擦圧切ネジ継手		嵌合長さ	必要嵌合長さが確保されていること
			締付けの完了	合マークがずれていること
			導入トルク値	規定トルク値が導入されていること
	くさび固定継手		鉄筋の突き出し長さ	スリーブ端からの鉄筋突き出し長さが規定値以上であること
			ウェッジの余長	圧入後のウェッジの余長が規定値以上であること

型枠の検査（確認事項）

- 型枠は，外部からかかる荷重やコンクリートの側圧に対し，型枠の**はらみ**，モルタルの漏れ，移動，沈下，接続部の緩みなど異常が生じないように十分な強度と剛性を有していなければならない。
- 型枠相互の間隔を保つためには，**セパレータ**を用いる。
- コンクリート構造物は，設計図書に基づき，所定の**精度**で造られていなければならないが，この**精度**を確認するために検査すべき項目として，コンクリート標準示方書［施工編］では，平面位置，計画高さ，**部材の形状寸法**の3項目が示されており，構造条件や施工条件が一般的なコンクリート構造物に対して，平面位置の許容誤差は±30mm，計画高さの許容誤差は±50mm，**部材の形状寸法**の許容誤差は設計寸法の0～＋50mmが標準とされている。
- 鉄筋コンクリート構造物において，環境条件が厳しく，塩害や中性化などによる**鋼材腐食**の危険性が高い部材に対しては，非破壊検査によるかぶりの検査も実施する。

関連問題&よくわかる解説

問題1 □□□

鉄筋の組立・型枠及び型枠支保工の品質管理に関する次の文章の［　　］の（イ）～（ホ）に当てはまる適切な語句を，次の語句から選び解答欄に記入しなさい。 R 3［問題 7］出題

(1) 鉄筋の継手箇所は，構造上弱点になりやすいため，できるだけ，大きな荷重がかかる位置を避け，［　イ　］の断面に集めないようにする。

(2) 鉄筋の［　ロ　］を確保するためのスペーサは，版（スラブ）及び梁部ではコンクリート製やモルタル製を用いる。

(3) 型枠は，外部からかかる荷重やコンクリートの［　ハ　］に対し，十分な強度と剛性を有しなければならない。

(4) 版（ばん）（スラブ）の型枠支保工は，施工時及び完成後のコンクリートの自重による沈下や変形を想定して，適切な［　ニ　］をしておかなければならない。

(5) 型枠及び型枠支保工を取り外す順序は，比較的荷重を受けにくい部分をまず取り外し，その後残りの重要な部分を取り外すので，梁部では［　ホ　］が最後となる。

［語句］

負圧，	相互，	妻面，	千鳥，	側面，
底面，	側圧，	同一，	水圧，	上げ越し，
口径，	下げ止め，	応力，	下げ越し，	かぶり

解説

「コンクリート標準示方書（施工編）」より。

(1) 鉄筋の継手箇所は，構造上弱点になりやすいため，できるだけ，大きな荷重がかかる位置を避け，［**同一**］の断面に集めないようにする。

(2) 鉄筋の［**かぶり**］を確保するためのスペーサは，版（スラブ）及び梁部ではコンクリート製やモルタル製を用いる。

品質管理

(3) 型枠は，外部からかかる荷重やコンクリートの［**側圧**］に対し，十分な強度と剛性を有しなければならない。

(4) 版（スラブ）の型枠支保工は，施工時及び完成後のコンクリートの自重による沈下や変形を想定して，適切な［**上げ越し**］をしておかなければならない。

(5) 型枠及び型枠支保工を取り外す順序は，比較的荷重を受けにくい部分をまず取り外し，その後残りの重要な部分を取り外すので，梁部では［**底面**］が最後となる。

解答

(イ)	(ロ)	(ハ)	(ニ)	(ホ)
同一	かぶり	側圧	上げ越し	底面

問題2 □□□

コンクリート構造物の鉄筋の組立・型枠の品質管理に関する次の文章の［　　］の（イ）～（ホ）に当てはまる適切な語句を，下記の語句から選び解答欄に記入しなさい。

H29［問題 6］出題

(1) 鉄筋コンクリート用棒鋼は納入時にJIS G 3112に適合することを製造会社の［　イ　］により確認する。

(2) 鉄筋は所定の［　ロ　］や形状に材質を害さないように加工し正しく配置して，堅固に組み立てなければならない。

(3) 鉄筋を組み立てる際には，かぶりを正しく保つために［　ハ　］を用いる。

(4) 型枠は，外部からかかる荷重やコンクリートの側圧に対し，型枠の［　ニ　］，モルタルの漏れ，移動，沈下，接続部の緩みなど異常が生じないように十分な強度と剛性を有していなければならない。

(5) 型枠相互の間隔を正しく保つために［　ホ　］やフォームタイが用いられている。

［語句］

鉄筋，	断面，	補強鉄筋，	スペーサ，	表面，
はらみ，	ボルト，	寸法，	信用，	セパレータ，
下振り，	試験成績表	バイブレータ，	許容値，	実績

解説

(1) 国土交通省「土木工事共通仕様書」第2編第一章第2節　工事材料の品質の「1.一般的事項」において，「受注者は，工事に使用した材料の品質を証明する，［**試験成績表**］，性能試験結果，ミルシート等の品質規格証明書を受注者の責任において整備，保管し」とある。この場合，試験成績表は鉄筋製造会社がJIS G 3112に基づいて作成する。

(2) コンクリート標準示方書（2012年制定・土木学会）に，「鉄筋は，設計図書に示された形状及び［**寸法**］に一致するよう，材質を害さない方法で加工しなければならない。」とある。

(3) 同示方書に「鉄筋のかぶりを正しく保つために，使用箇所に適した材質の［**スペーサ**］を必要な間隔に配置しなければならない。」とある。

(4) 型枠は支保工と合わせて，施工中に予想される荷重に対して必要な強度と剛性を有するものでなければならない。施工中の荷重のうち，コンクリートの側圧に対しては，型枠に［**はらみ**］が生じるおそれがある。

(5) 型枠相互の間隔を保つためには，［**セパレータ**］を用いる。
　セパレータのあることにより，骨材等の下方への移動による沈下ひび割れが生ずるおそれがある為，セパレータの周辺を，バイブレータを用いて十分に締め固めなければならない。

解答

(イ)	(ロ)	(ハ)	(ニ)	(ホ)
試験成績表	寸法	スペーサ	はらみ	セパレータ

問題3 □□□

次の鉄筋の継手種類のうちから2つ選び，その継手名とその検査項目をそれぞれ1つ記述しなさい。

H24［問題 4－2］出題

・重ね継手
・ガス圧接継手
・突合せアーク溶接継手
・機械式継手

解答欄

<table>
<tr><td rowspan="2">1.</td><td>継手種類</td><td></td></tr>
<tr><td>検査項目</td><td></td></tr>
<tr><td rowspan="2">2.</td><td>継手種類</td><td></td></tr>
<tr><td>検査項目</td><td></td></tr>
</table>

解説

「コンクリート標準示方書　施工編」「鉄筋定着・継手指針」より（抜粋）。

各種継手の検査項目

<table>
<tr><th>継手の名称</th><th>検査項目</th></tr>
<tr><td rowspan="2">重ね継手</td><td>位置</td></tr>
<tr><td>継手長さ</td></tr>
<tr><td rowspan="3">ガス圧接継手</td><td>位置</td></tr>
<tr><td>外観検査</td></tr>
<tr><td>超音波探傷検査</td></tr>
<tr><td rowspan="3">突合せアーク
溶接継手</td><td>計測，外観目視検査</td></tr>
<tr><td>詳細外観検査</td></tr>
<tr><td>超音波探傷検査</td></tr>
</table>

機械式継手の検査項目

<table>
<tr><th>継手の名称</th><th>検査項目</th></tr>
<tr><td rowspan="2">スリーブ圧縮
継手</td><td>鉄筋の挿入長さ</td></tr>
<tr><td>圧着後のスリーブの外観</td></tr>
<tr><td rowspan="4">モルタル充填
継手</td><td>挿入長さ</td></tr>
<tr><td>充填</td></tr>
<tr><td>グラウト強度</td></tr>
<tr><td>養生</td></tr>
</table>

したがって，解答は，上記表の継手の名称から2つ選び，その継手名に対する検査項目1つをそれぞれ解答欄に記述する。

安全管理

出題概要

出題問題数	出題内容	出題形式
1～2問	土工事，建設機械・クレーンを使用した工事，仮設工事等の労働災害の防止，第三者災害の防止 等	穴埋め問題，記述式問題（労働災害を防止するための留意事項・対策や措置，図に示された作業における災害防止対策 等）

出題パターン（出題予想）

	高所作業 墜落防止	クレーン作業 架空線	明り掘削 埋設物	その他
令和6年度	◎	△	○	○
令和5年度		記述	穴埋め	
令和4年度	記述			
令和3年度		記述		
		記述（図から）		
令和2年度	穴埋め			
令和元年度				記述(図から) 土止め支保工
平成30年度		記述	記述	
平成29年度		穴埋め		
平成28年度			穴埋め	
平成27年度	穴埋め			
平成26年度	穴埋め			
平成25年度		記述(図から)		
平成24年度				記述 (保護具)
平成23年度		記述		

※　ここに記載しているものは，過去問題の傾向と対策であり，実際の試験ではこの傾向通り出題されるとは限りません。

高所作業（足場工事）の労働災害防止

高所作業（作業床，通路，足場等）における墜落等による危険の防止

作業主任者	つり足場，張出し足場又は高さが**5m**以上の構造の足場の組立て，解体又は変更の作業を行うには，事業主は足場の組立て等作業主任者**技能講習**を修了した者を**作業主任者**として選任し，その者の指揮のもとに作業を行わせなければならない。
足場における作業床	足場における高さ**2m**以上の作業場所には，次に定めるところにより，**作業床**を設けなければならない。 ① つり足場の場合を除き，幅は**40cm**以上とし，**床材間の隙間は3cm以下，床材と建地との隙間は12cm未満**とすること。 ② 墜落により労働者に危険を及ぼすおそれのある箇所には，わく組足場にあってはイ又はロ，わく組足場以外の足場にあってはハに掲げる設備を設けること。ただし，作業の性質上これらの設備を設けることが著しく困難な場合又は作業の必要上臨時にこれらの設備を取りはずす場合において，防網を張り，労働者に**要求性能墜落制止用器具**を使用させる等墜落による労働者の危険を防止するための措置を講じたときは，この限りでない。 イ 交さ筋かい及び高さ15cm以上40cm以下のさん若しくは高さ15cm以上の幅木又はこれらと同等以上の機能を有する設備 ロ 手すりわく ハ **高さ85cm以上の手すり**又はこれと同等以上の機能を有する設備及び中さん等 ③ 腕木，布，はり，脚立その他作業床の支持物は，これにかかる荷重によって破壊するおそれのないものを使用すること。 ④ つり足場の場合を除き，床材は，転位し，又は脱落しないように2以上の支持物に固定すること。 ⑤ 作業のため物体が落下することにより，労働者に危険を及ぼすおそれのあるときは，**高さ10cm以上の幅木**，メッシュシート若しくは防網又はこれらと同等以上の機能を有する設備を設けること。
墜落制止用器具等の取付設備等	・高さが**2m**以上の箇所で作業を行う場合，労働者に墜落制止用器具等を使用させるときは，**要求性能墜落制止用器具等を安全に取り付けるための設備等を設ける**。 ・要求性能墜落制止用器具の使用時における注意事項として，フックの位置は，腰**より高い位置**にかけ，墜落阻止時に加わる衝撃荷重を低く抑えるようにする。 ※ 第二種ショックアブソーバを使用する場合は，腰より低い位置に取付けることができる。
作業床の設置等（足場以外）	・高さが**2m以上**の箇所（作業床の端，開口部等を除く）で作業を行う場合，墜落により労働者に危険を及ぼすおそれのあるときは，足場を組み立てる等の方法により**作業床**を設ける。 ・高さが2m以上の作業床の端，開口部等で，墜落により労働者に危険を及ぼすおそれのある箇所には，**囲い**等（**囲い**，**手すり**，**覆い等**）を設ける。

点検	・その日の作業を**開始する前**に，作業を行う箇所に設けた足場用墜落防止設備の取り外し及び脱落の有無について点検し，異常を認めたときは，直ちに補修しなければならない。 ・労働者に**要求性能墜落制止用器具**等を使用させるときは，**要求性能墜落制止用器具**等及びその取付け設備等の異常の有無について，**随時点検**しなければならない。
架設通路	架設通路については，次に定めるところに適合したものでなければ使用してはならない。 ① こう配は，**30度以下**とすること。 ② こう配が**15度を超えるもの**には，**踏さ**んその他の**滑り止め**を設けること。 ③ 墜落の危険のある箇所には，次に掲げる設備を設けること。 イ 高さ**85cm以上の手すり** ロ 高さ35cm以上50cm以下のさん又はこれと同等以上の機能を有する設備（以下「中さん等」という。） ④ 建設工事に使用する高さ**8m以上**の登りさん橋には，**7m以内ごとに踊場**を設けること。
屋内に設ける通路	通路面から**高さ1.8m以内に障害物を置かないこと**。
機械間等の通路	事業者は，**機械間又はこれと他の設備との間に設ける通路**については，**幅80㎝**以上のものとしなければならない。
照度の保持	高さが2m以上の箇所で作業を行うときは，作業を安全に行うため必要な**照度を保持**する。
悪天候時の作業禁止	高さが2m以上の箇所で作業を行う場合，強風，大雨，大雪等の悪天候のため，作業の実施について**危険が予想されるときは，作業に労働者を従事させてはならない**。
昇降するための設備	高さ又は深さが**1.5mを超える箇所**で作業を行うときは，安全に昇降する設備を設ける。
移動はしご	移動はしごの**幅は30cm以上とする**。
脚　立	・脚と水平面との角度を**75度以下**とし，折りたたみ式のものは脚と水平面との角度を確実に保つための金具を備える。 ・丈夫な構造とし，材料は，著しい損傷，腐食等がないものとする。 ・吊り足場上では使用してはならない。 ・脚立の天板に乗ったり，座ったり，跨いだりして使用しない。
高所からの物体投下による危険の防止	**3m以上**の高所から物体を投下するときは，適当な投下設備を設け，監視人を置く等労働者の危険を防止するための措置を講じる。

関連問題&よくわかる解説

問題１ □□□

建設工事における高所作業を行う場合の安全管理に関して，労働安全衛生法上，次の文章の［　　］の（イ）～（ホ）に当てはまる適切な語句を，下記の語句から選び解答欄に記入しなさい。 R２［問題７］出題

⑴　高さが［　イ　］m 以上の箇所で作業を行なう場合で，墜落により労働者に危険を及ぼすおそれのあるときは，足場を組立てる等の方法により［　ロ　］を設けなければならない。

⑵　高さが［　イ　］m 以上の［　ロ　］の端や開口部等で，墜落により労働者に危険を及ぼすおそれのある箇所には，［　ハ　］，手すり，覆い等を設けなければならない。

⑶　架設通路で墜落の危険のある箇所には，高さ［　ニ　］cm 以上の手すり又はこれと同等以上の機能を有する設備を設けなくてはならない。

⑷　つり足場又は高さが5m 以上の構造の足場等の組立て等の作業については，足場の組立て等作業主任者［　ホ　］を修了した者のうちから，足場の組立て等作業主任者を選任しなければならない。

［語句］

特別教育，	囲い，	85，	作業床，	3，
待避所，	幅木，	2，	技能講習，	95，
1，	アンカー，	技術研修，	休憩所，	75

解説

労働安全衛生規則第十章「通路，足場等」より

⑴　高さが［**2**］m 以上の箇所で作業を行なう場合で，墜落により労働者に危険を及ぼすおそれのあるときは，足場を組立てる等の方法により［**作業床**］を設けなければならない。

⑵　高さが［**2**］m 以上の［**作業床**］の端や開口部等で，墜落により労働者に危険を及ぼすおそれのある箇所には，［**囲い**］，手すり，覆い等を設けなければならない。

(3) 架設通路で墜落の危険のある箇所には，高さ［**85**］cm 以上の手すり又はこれと同等以上の機能を有する設備を設けなくてはならない。

(4) つり足場又は高さが5m 以上の構造の足場等の組立て等の作業については，足場の組立て等作業主任者［**技能講習**］を修了した者のうちから，足場の組立て等作業主任者を選任しなければならない。

解答

(イ)	(ロ)	(ハ)	(ニ)	(ホ)
2	作業床	囲い	85	技能講習

問題2 □□□

建設工事における足場を用いた場合の安全管理に関して，労働安全衛生法上，次の文章の［　　］の（イ）～（ホ）に当てはまる適切な語句又は数値を，下記の語句から選び解答欄に記入しなさい。 H27［問題 7］出題

(1) 高さ［　イ　］m 以上の作業場所には，作業床を設けその端部，開口部には囲い手すり，覆い等を設置しなければならない。また，要求性能墜落制止用器具のフックを掛ける位置は，墜落時の落下衝撃をなるべく小さくするため，腰［　ロ　］位置のほうが好ましい。

(2) 足場の作業床に設ける手すりの設置高さは，［　ハ　］cm 以上と規定されている。

(3) つり足場，張出し足場又は高さが5m 以上の構造の足場の組み立て，解体又は変更の作業を行うときは，足場の組立等［　ニ　］を選任しなければならない。

(4) つり足場の作業床は，幅を［　ホ　］cm 以上とし，かつ，すき間がないようにすること。

［語句］

30,	75	作業主任者,	より高い,	1,
40,	85	主任技術者,	より低い,	2,
50,	100	安全管理者,	と同じ,	3,

安全管理

解説

(1) 高さが［**2**］m 以上の箇所で作業を行う場合で作業員が墜落する危険のおそれがあるときは，足場を組み立てるなどの方法により作業床を設ける必要がある。

要求性能墜落制止用器具の使用時における注意事項として，フックの位置は，腰［**より高い**］位置にかけ，墜落阻止時に加わる衝撃荷重を低く抑えるようにする。

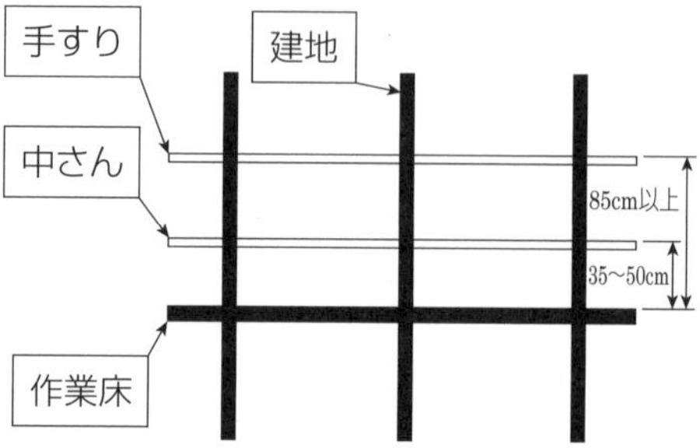

手すり
建地
中さん
85cm以上
35～50cm
作業床

墜落防止措置
手すり等（高さ85cm以上）及び中さん等（高さ35～50cmの位置）またはこれと同等以上の機能を有する設備を設置

足場における安全措置（単管足場の例）

(2) 高さが2m 以上の作業床の端で，作業員の墜落による危険のおそれがある箇所には手すり等及び中桟等を設置する。

手すりの高さは，［**85**］cm 以上とし，中桟等（高さ 35cm 以上 50cm 以下の桟又はこれと同等以上の機能を有する設備）を設けると。

(3) 足場の組み立て等作業主任者の選任と職務

下記の作業を行う場合は，足場の組み立て等作業主任者技能講習を修了した者のうちから，足場の組み立て等［**作業主任者**］を選任すること。

(4) 足場における作業床

足場（一側足場を除く）の高さが2m 以上の作業場所には下記の要件を満たす作業床を設けなければならない。

床材の幅は［**40**］cm 以上とし，床材間の隙間は3cm 以下とする。ただし，吊り足場にあっては隙間がないようにする。

解答

(イ)	(ロ)	(ハ)	(ニ)	(ホ)
2	より高い	85	作業主任者	40

問題3 □□□

事業者が，行わなければならない墜落事故の防止対策に関し，労働安全衛生規則上，次の文章の［　　　］の（イ）～（ホ）に当てはまる適切な語句又は数値を，下記の語句から選び，解答欄に記入しなさい。

H26［問題 5－1］出題

⑴　高さが2m以上の箇所で作業を行う場合，労働者が墜落するおそれがあるときは，足場を組み立て［　イ　］を設けなければならない。

⑵　高さ2m以上の［　イ　］の端，開口部等で墜落のおそれがある箇所には，［　ロ　］，手すり，覆い等を設けなければならない。

⑶　⑵において，［　ロ　］等を設けることが困難なときは，防網を張り，労働者に［　ハ　］等を使用させる等の措置を講じなければならない。

⑷　労働者に［　ハ　］等を使用させるときは，［　ハ　］等及びその取付け設備等の異常の有無について，［　ニ　］しなければならない。

⑸　高さ又は深さが［　ホ　］mをこえる箇所で作業を行うときは，作業に従事する労働者が安全に昇降するための設備等を設けなければならない。

［語句］

安全ネット，	適宜報告，	保管管理，	支保工，
2，	囲い，	照明，	1.5，
保護帽，	型枠工，	2.5，	作業床，
時々点検，	随時点検，	要求性能墜落制止用器具	

解説

⑴　高さが2m以上の箇所で作業を行う場合において墜落により労働者に危険を及ぼすおそれのあるときは，足場を組み立てる等の方法により［**作業床**］を設けなければならない。

⑵　高さ2m以上の［**作業床**］の端，開口部等で墜落により労働者に危険を及ぼすおそれのある箇所には，［**囲い**］，手すり，覆い等を設けなければならない。

⑶　⑵において，［**囲い**］等を設けることが困難なときは，防網を張り，労働者に［**要求性能墜落制止用器具**］を使用させる等，墜落による労働者の危険を防止するための措置を講じなければならない。

⑷　労働者に［**要求性能墜落制止用器具**］等を使用させるときは，［**要求性能墜落

制止用器具］等及びその取付け設備等の異常の有無について，［**随時点検**］しなければならない。

⑸　高さ又は深さが［**1.5**］m をこえる箇所で作業を行うときは，作業に従事する労働者が安全に昇降するための設備等を設けなければならない。

解答

(イ)	(ロ)	(ハ)	(ニ)	(ホ)
作業床	囲い	要求性能墜落 制止用器具	随時点検	1.5

問題４　□□□

建設工事における高さ 2m 以上の高所作業を行う場合において，労働安全衛生法で定められている事業者が実施すべき墜落等による危険の防止対策を，2つ解答欄に記述しなさい。

R 4［問題 8］出題

解答欄

1.

2.

解説

事業者が安全対策として講ずべき措置

①　墜落により労働者に危険を及ぼすおそれのある箇所に関係労働者以外の労働者を立入り禁止とする。

②　（強風，大雨，大雪等の）悪天候のため，作業の実施について危険が予想されるときは，作業を中止する。

③　作業を安全に行うために，必要な照度を保持する。

④　足場を組み立てる等の方法により作業床を設ける。

⑤　作業床の端部（開口部等）に囲い，手すり，覆い等を設ける。

⑥　要求性能墜落制止用器具等を安全に取り付けるための設備（親綱）等を設ける。

⑦　囲いを設けることが困難な時等は，防網を張り，要求性能墜落制止用器具を使用させる。

上記から，**2つ**解答欄に簡潔に記述してください。

※　ここに記載しているものの他にも正解となる解答がある場合があります。「**労働安全衛生規則 第9章 墜落，飛来崩壊等による危険の防止**」参照してください。

労働災害防止対策［明り掘削作業・地下埋設物対策］

明り掘削作業時の留意事項

・掘削面の高さが**2m**以上となる地山の掘削（ずい道及びたて坑以外の坑の掘削を除く。）作業については，地山の掘削**作業主任者**を選任し，作業を直接指揮させせなければならない。

・地山の崩壊，埋設物等の損壊等により，労働者に危険を及ぼすおそれのあるときは，作業箇所及びその周辺の地山について，ボーリングその他適当な方法により調査し，調査結果に適応する掘削の時期及び**順序**を定めて，作業を行わなければならない。

・地山の崩壊・土石の落下による危険のおそれがあるときは，地山を安全な勾配とする。

・明り掘削の作業を行う場合において，地山の崩壊又は土石の落下により労働者に危険を及ぼすおそれのあるときは，あらかじめ，**土止め支保工**を設け，防護網を張り，労働者の立入りを禁止する等当該危険を防止するための措置を講じなければならない。

・明り掘削の作業を行うときは，点検者を指名して，作業箇所及びその周辺の地山について，その日の作業を**開始**する前，**大雨**の後及び**中震**以上の地震の後，浮石及び亀裂の有無及び状態ならびに含水，湧水及び凍結の状態の変化を点検させなければならない。

・明り掘削の作業を行う場合において，運搬機械等が労働者の作業箇所に後進して接近するとき，又は転落するおそれのあるときは，**誘導**者を配置しその者にこれらの機械を**誘導**させなければならない。

・明り掘削の作業を行う場所については，当該作業を安全に行うため作業面にあまり強い影を作らないように必要な**照度**を保持しなければならない。

地下埋設物損傷事故の防止

・施工に先立ち，埋設物管理者等が保管する台帳に基づいて**試掘**を行い，その埋設物の種類等を目視により確認し，その位置を**道路管理者**及び埋設物管理者に報告する。

※埋設物の深さは，原則として**標高**によって表示する。

・工事中に管理者の不明な埋設物を発見した場合，埋設物に関する調査を再度行い，当該管理者の立会を求め，安全を確認した後に処置しなければならない。

・試掘を行う際，工作物（埋設物）の**損壊**により労働者に危険を及ぼす可能性のある場合は，掘削機械を使用してはならない。
・埋設物のないことがあらかじめ明確である場合を除き，埋設物の予想される位置を深さ**2m 程度**まで**試掘**を行い，埋設物の存在が確認されたときは，布掘り又はつぼ掘りを行ってこれを露出させなければならない。
・埋設物に近接して掘削を行う場合は，沈下等に十分注意し，必要に応じて埋設物管理者とあらかじめ協議して，埋設物の保安に必要な措置を講じなければならない。
・工事中埋設物が露出した場合は常に点検等を行い，埋設物が露出時にすでに破損していた場合は，直ちに起業者及びその埋設物管理者に連絡し修理等の措置を求める。
・掘削作業で露出したガス導管の損壊によって，危険を及ぼすおそれのあるときは，つり防護，受け防護，ガス導管を移設する等の措置が講じられた後でなければ，作業を行なってはならない。また，ガス導管の防護の作業については**作業指揮者**を指名して，その者の直接の指揮のもとに当該作業を行なわせなければならない。
・可燃性物質の輸送管等の埋設物付近においては，溶接機等火気を伴う機械器具類を原則，使用してはならない。ただし，周囲に可燃性ガス等が検知器等によって存在しないことを確認し，保安上の措置を講じた場合はこの限りではない。

関連問題&よくわかる解説

問題 1 □□□

地山の明り掘削の作業時に事業者が行われなければならない安全管理に関し，労働安全衛生法上，次の文章の［　　］の（イ）～（ホ）に当てはまる適切な語句を，下記の語句から選び解答欄に記入しなさい。

R 5［問題 2］出題

⑴ 地山の崩壊，埋設物等の損壊等により，労働者に危険を及ぼすおそれのあるときは，作業箇所及びその周辺の地山について，ボーリングその他適当な方法により調査し，調査結果に適応する掘削の時期及び［ イ ］を定めて，作業を行わなければならない。

⑵ 地山の崩壊又は土石の落下により労働者に危険を及ぼす恐れのあるときは，あらかじめ［ ロ ］を設け，［ ハ ］を張り，労働者の立入りを禁止する等の措置を講じなければならない。

⑶ 掘削機械，積込機械及び運搬機械の使用によるガス導管，地中電線路その他地下に存在する工作物の［ ニ ］により労働者に危険を及ぼす恐れのあるときは，これらの機械を使用してはならない。

⑷ 点検者を指名して，その日の作業を［ ホ ］する前，大雨の後及び中震（震度4）以上の地震の後，浮石及び亀裂の有無及び状態並びに含水，湧水及び凍結の状態の変化を点検させなければならない。

［語句］

土止め支保工，	遮水シート，	休憩，	飛散，	作業員，
型枠支保工，	順序，	開始，	防護網，	段差，
吊り足場，	合図，	損壊，	終了，	養生シート

安全管理

解説

⑴ 地山の崩壊，埋設物等の損壊等により，労働者に危険を及ぼすおそれのあるときは，作業箇所及びその周辺の地山について，ボーリングその他適当な方法により調査し，調査結果に適応する掘削の時期及び［**順序**］を定めて，作業を行わなければならない。

⑵ 地山の崩壊又は土石の落下により労働者に危険を及ぼす恐れのあるときは，あ

らかじめ［**土止め支保工**］を設け，［**防護網**］を張り，労働者の立入りを禁止する等の措置を講じなければならない。

⑶ 掘削機械，積込機械及び運搬機械の使用によるガス導管，地中電線路その他地下に存在する工作物の［**損壊**］により労働者に危険を及ぼす恐れのあるときは，これらの機械を使用してはならない。

⑷ 点検者を指名して，その日の作業を［**開始**］する前，大雨の後及び中震（震度4）以上の地震の後，浮石及び亀裂の有無及び状態並びに含水，湧水及び凍結の状態の変化を点検させなければならない。

解答

（イ）	（ロ）	（ハ）	（ニ）	（ホ）
順序	土止め支保工	防護網	損壊	開始

問題２ □□□

明り掘削作業時に事業者が行わなければならない安全管理に関し，労働安全衛生規則上，次の文章の［　　　］の（イ）～（ホ）に当てはまる適切な語句又は数値を，下記の語句又は数値から選び解答欄に記入しなさい。

H28［問題 7］出題

⑴ 掘削面の高さが［　イ　］m 以上となる地山の掘削（ずい道及びたて坑以外の坑の掘削を除く。）作業については，地山の掘削作業主任者を選任し，作業を直接指揮させなければならない。

⑵ 明り掘削の作業を行う場合において，地山の崩壊又は土石の落下により労働者に危険を及ぼすおそれのあるときは，あらかじめ，［　ロ　］を設け，防護網を張り，労働者の立入りを禁止する等当該危険を防止するための措置を講じなければならない。

⑶ 明り掘削の作業を行うときは，点検者を指名して，作業箇所及びその周辺の地山について，その日の作業を開始する前，［　ハ　］の後及び中震以上の地震の後，浮石及び亀裂の有無及び状態ならびに含水，湧水及び凍結の状態の変化を点検させること。

⑷ 明り掘削の作業を行う場合において，運搬機械等が労働者の作業箇所に後進して接近するとき，又は転落するおそれのあるときは，［　ニ　］者を配置しその者にこれらの機械を［　ニ　］させなけれ

ばならない。

(5) 明り掘削の作業を行う場所については，当該作業を安全に行うため作業面にあまり強い影を作らないように必要な［　ホ　］を保持しなければならない。

［語句］

角度，	大雨，	3，	土止め支保工，	突風，
4，	型枠支保工，	照度，	落雷，	合図，
誘導，	濃度，	足場工，	見張り，	2

解説

土木工事の明り掘削に対しての安全対策は，労働安全衛生規則に規定されている。

(1) 掘削面の高さが［**2**］m以上となる地山の掘削（ずい道及びたて坑以外の坑の掘削を除く。）作業については，地山の掘削作業主任者を選任し，作業を直接指揮させなければならない。

(2) 明り掘削の作業を行う場合において，地山の崩壊又は土石の落下により労働者に危険を及ぼすおそれのあるときは，あらかじめ，［**土止め支保工**］を設け，防護網を張り，労働者の立入りを禁止する等当該危険を防止するための措置を講じなければならない。

(3) 明り掘削の作業を行うときは，点検者を指名して，作業箇所及びその周辺の地山について，その日の作業を開始する前，［**大雨**］の後及び中震以上の地震の後，浮石及び亀裂の有無及び状態ならびに含水，湧水及び凍結の状態の変化を点検させること。

(4) 明り掘削の作業を行う場合において，運搬機械等が労働者の作業箇所に後進して接近するとき，又は転落するおそれのあるときは，［**誘導**］者を配置しその者にこれらの機械を［**誘導**］させなければならない。

(5) 明り掘削の作業を行う場所については，当該作業を安全に行うため作業面にあまり強い影を作らないように必要な［**照度**］を保持しなければならない。

解答

(イ)	(ロ)	(ハ)	(ニ)	(ホ)
2	土止め支保工	大雨	誘導	照度

労働災害防止対策［クレーン・玉掛け作業・架空線近接作業］

移動式クレーンによる危険の防止

就業制限	・つり上げ荷重が5t以上の移動式クレーン，デリックの運転の業務に就くためには，クレーン運転士**免許**の修了が必要である。 ・つり上げ荷重が1t以上5t未満の移動式クレーン，デリックの運転の業務に就くためには，当該業務に関する**技能講習**の修了が必要である。 ・つり上げ荷重が1t未満の移動式クレーン，デリックの運転の業務に労働者をつかせるときは，当該労働者に対し，当該業務に関する安全のための**特別の教育**を行なわなければならない。
使用の禁止	・地盤が軟弱であること，埋設物その他地下に存する工作物が損壊するおそれがあること等により移動式クレーンが転倒するおそれのある場所においては，移動式クレーンを用いて作業を行ってはならない。ただし，当該場所において，移動式クレーンの転倒を防止するため必要な広さ及び強度を有する鉄板等が敷設され，その上に移動式クレーンを設置しているときは，この限りでない。
過負荷の制限	**定格荷重**をこえる荷重をかけて使用してはならない。 ※定格荷重は，作業半径により増減し，作業半径が延びれば定格荷重は**小さく**なる。また，定格荷重にフック，バケット等の吊り具の重量を加えたものを**定格総荷重**という。
搭乗の制限	移動式クレーンにより，労働者を運搬し，又は労働者をつり上げて作業させてはならない。ただし，作業の性質上やむを得ない場合又は安全な作業の遂行上必要な場合は，つり具に専用の搭乗設備を設けて労働者を乗せることができる。
立入禁止	・移動式クレーンに係る作業を行うとき，上部旋回体との**接触**により労働者に危険が生じるおそれのある箇所に立ち入らせてはならない。 ・移動式クレーンに係る作業を行う場合，つり上げられている荷やつり具の下に労働者を立ち入らせてはならない主な場合は次のようなときである。 ①ハッカーを用いて玉掛けをした荷がつり上げられているとき ②つりクランプ1個を用いて玉掛けをした荷がつり上げられているとき

強風時の作業中止	・強風のため，移動式クレーンに係る作業の実施について危険が予想されるときは，作業を中止する。 ・強風のため，作業を中止する場合で移動式クレーンが転倒するおそれのあるときは，ジブの位置を固定させる等により労働者の危険を防止するための措置を講じる。
運転の合図	クレーンを用いて作業を行なうときは，クレーンの運転について一定の合図を定め，合図を行なう者を指名して，その者に合図を行なわせなければならない。
使用の禁止	地盤が軟弱であること、埋設物その他地下に存する工作物が損壊するおそれがあること等により移動式クレーンが転倒するおそれのある場所においては、移動式クレーンを用いて作業を行ってはならない。 ※必要な広さ及び強度を有する鉄板等が敷設され、その上に移動式クレーンを設置しているときは、この限りでない。
アウトリガーの張り出し	アウトリガーは最大限に張り出さなければならない。 ※アウトリガーが最大限に張り出すことができない場合で，クレーンに掛ける荷重がアウトリガーの張り出し幅に応じた定格荷重を下回ることが確実に見込まれるときは，この限りでない。
運転位置からの離脱の禁止	移動式クレーンの運転者は，荷をつったままで運転位置から離れてはならない。
記録の保存	自主検査の結果を記録し，3年間保存する。

玉掛け作業における危険の防止

事業者が講ずべき措置	・安全確保に十分配慮した作業計画を定めて，関係する労働者に周知する。 ・玉掛け等作業を行う玉掛け者，合図者，玉掛け補助者等の配置を決めるとともに，玉掛け等作業に従事する労働者の中から当該玉掛け等作業に係る責任者を指名する。 ・作業前打合せの実施と作業の概要，手順の指示を周知する。
就業制限	玉掛け作業を行う者に，有資格者を就かせる。 ・つり上げ荷重が1t以上のクレーン，移動式クレーン，デリックの玉掛けの業務に就くためには，玉掛け**技能講習**の修了等が必要である。 ・つり上げ荷重が1t未満のクレーン，移動式クレーン又はデリックの玉掛けの業務に労働者をつかせるときは，当該労働者に対し，当該業務に関する安全のための特別の教育を行なわなければならない。

玉掛け用ワイヤロープ等の安全係数	クレーン，移動式クレーン又はデリックの玉掛け用具であるワイヤロープの安全係数は，6以上でなければならない。
不適格なワイヤロープの使用禁止	次のいずれかに該当するワイヤロープをクレーン，移動式クレーン又はデリックの玉掛け用具として使用してはならない。 ① **ワイヤロープ1よりの間において**素線の数の10%以上の**素線が切断しているもの** ② **直径の減少が公称径の7%を超える**もの ③ **キンクしたもの** ④ **著しい形くずれ又は腐食がある**もの
作業開始前の点検	クレーン，移動式クレーン又はデリックの玉掛け用具であるワイヤロープ，つりチェーン，繊維ロープ，繊維ベルト又はシャックル，リング等を用いて玉掛けの作業を行うときは，その日の作業を開始する前に，ワイヤロープ等の異常の有無について**点検**を行う。点検によりワイヤロープ等に異常を認めたときは，直ちに補修する。

架空線近接作業

接触防止	架空線等上空施設に対して建設機械等のブーム，ダンプトラックのダンプアップ等により，接触・切断の可能性がある場合は，以下の措置を行う。 ① 架空線上空施設への**防護カバーの設置** ② 工事現場の出入り口等における**高さ制限装置の設置** ③ 架空線等上空施設の**位置を明示**する看板等の設置（**安全離隔距離を厳守**する） ④ **建設機械ブーム等の旋回・立入り禁止区域等の設定** ⑤ 近接して施工する場合は**監視人の配置**
感電防止	・工作物の建設等の作業を行う場合に感電する危険のおそれがある場合，当該**充電電路を移設**する。 ・**感電の危険を防止**するための**囲いを設ける**。 ・当該充電電路に絶縁用防具を装着する。 ・絶縁防護措置がされていない送電線の近くでの作業は，**安全離隔距離を厳守**して行う。 ・やむを得ずこれらの措置がとれない場合は監視員を置いて作業を行う。

関連問題&よくわかる解説

問題 1 □□□

建設工事における移動式クレーンを用いる作業及び玉掛作業の安全管理に関する，クレーン等安全規則上，次の文章の［　　］の（イ）～（ホ）に当てはまる適切な語句を，下記の語句から選び解答欄に記入しなさい。

H29［問題 7］出題

⑴　移動式クレーンで作業を行うときは，一定の［　イ　］を定め，［　イ　］を行う者を指名する。

⑵　移動式クレーンの上部旋回体と［　ロ　］することにより労働者に危険が生ずるおそれの箇所に労働者を立ち入らせてはならない。

⑶　移動式クレーンに，その［　ハ　］荷重をこえる荷重をかけて使用してはならない。

⑷　玉掛作業は，つり上げ荷重が1t以上の移動式クレーンの場合は，［　ニ　］講習を終了した者が行うこと。

⑸　玉掛けの作業を行うときは，その日の作業を開始する前にワイヤロープ等玉掛用具の［　ホ　］を行う。

［語句］

誘導,	定格,	特別,	旋回,	措置,
接触,	維持,	合図,	防止,	技能,
異常,	自主,	転倒,	点検,	監視

解説

クレーン等安全規則より

⑴　移動式クレーンの運転について一定の［**合図**］を定め，［**合図**］を行う者を指名して，その者に合図を行わせなければならない。ただし，運転者に単独で作業を行わせるときは，この限りでないと規定されている。

⑵　移動式クレーンに係る作業を行うときは，移動式クレーンの上部旋回体と［**接触**］することにより労働者に危険が生ずるおそれのある箇所に，作業者を立ち入らせてはならない。

⑶　移動式クレーンにその［**定格**］荷重をこえる荷重をかけて使用してはならない。

なお，定格荷重は，作業半径により増減し，作業半径が延びれば定格荷重は小さくなる。また，定格荷重にフック，バケット等の吊り具の重量を加えたものを定格総荷重という。

(4) つり上げ荷重が1t以上のクレーン，移動式クレーン，デリックの玉掛けの業務に就くためには，玉掛け［**技能**］講習の修了等が必要である。つり上げ荷重が1t未満の場合も，事業者は玉掛け業務に関する安全のための特別の教育を行わなければならない。

(5) 玉掛け作業を行うときは，その日の作業を開始する前にワイヤロープ等の異常の有無について［**点検**］を行わなければならない。

解答

(イ)	(ロ)	(ハ)	(ニ)	(ホ)
合図	接触	定格	技能	点検

問題2 □□□

建設工事における移動式クレーン作業及び玉掛け作業に係る安全管理のうち，事業者が実施すべき安全対策について，下記の①，②の作業ごとに，それぞれ1つずつ解答欄に記述しなさい。ただし，同一の解答は不可とする。

R 5［問題 8］，H23［問題 5－2］出題

① 移動式クレーン作業

② 玉掛け作業

※ 平成23年度　問題5-2は玉掛け作業における「事業者が安全対策として講ずべき措置」「使用に不適格なワイヤロープの損傷等の状態」について出題されました。

解答欄

① 移動式クレーン作業

② 玉掛け作業

解説

移動式クレーン作業及び玉掛け作業に係る安全管理のうち，事業者が実施すべき安全対策について，労働安全衛生規則及びクレーン等安全規則に以下のように定められている。

		安全対策
①	**移動式クレーン作業**	・地盤が軟弱である場所（埋設物その他地下に存する工作物が損壊するおそれがあること等により移動式クレーンが転倒するおそれのある場所）で，移動式クレーンを用いて作業を行ってはならない。（移動式クレーンの転倒を防止するため必要な広さ及び強度を有する鉄板等が敷設する） ・アウトリガーを最大限に張り出さなければならない。 ・定格荷重をこえる荷重をかけて使用してはならない。 ・一定の合図を定め，合図を行なう者を指名して，その者に合図を行なわせなければならない。 ・上部旋回体と接触することにより労働者に危険が生ずるおそれのある箇所に労働者を立ち入らせてはならない。 ・強風のため，危険が予想されるときは，当該作業を中止する。
②	**玉掛け作業**	・安全係数6以上のワイヤロープを使用する。 ・その日の作業を開始する前にワイヤロープ等の異常の有無について点検を行なう。 ・次の各号のいずれかに該当するワイヤロープを使用してはならない。（解答としてはいずれかを記入すれば正解となります） ①ワイヤロープ一よりの間において素線の数の10%以上の素線が切断しているもの ②直径の減少が公称径の7%をこえるもの ③キンクしたもの ④著しい形くずれ又は腐食があるもの ※ **「使用に不適格なワイヤロープの損傷等の状態」**について問われた場合は**上記の**①～④のいずれかを記入してください。

以上より，事業者が実施する安全対策を作業ごとに1つずつ選び，簡潔に記述する。

※ H23［問題5-2］「事業者が安全対策として講ずべき措置」については本設問②と同様なので省略します。「使用に不適格なワイヤロープの損傷等の状態」については上記解説に記載しています。

問題3 □□□

移動式クレーンを使用する荷下ろし作業において，労働安全衛生規則及びクレーン等安全規則に定められている安全管理上必要な労働災害防止対策に関し，次の(1)，(2)の作業段階について，具体的な措置を解答欄に記述しなさい。ただし，同一内容の解答は不可とする。 R 3［問題 3］出題

(1) 作業着手前

(2) 作業中

解答欄

(1) **作業着手前**

---

(2) **作業中**

解説

移動式クレーンを使用する荷下ろし作業における労働災害防止対策については，労働安全衛生規則及びクレーン等安全規則に以下のように定められている。

作業着手前	・移動式クレーンの運転について一定の合図を定め，合図を行う者を指名する。 ・作業を開始する前に，各種操作装置及び安全装置（巻過防止装置，過負荷警報装置その他の警報装置，ブレーキ，クラッチ及びコントローラーの機能について）の点検を行う。 ・作業を開始する前に，使用するワイヤロープに異常が無いか点検を行なう。 ・作業の方法，転倒を防止するための方法等を定めた作業計画書を作成し，関係労働者に周知する。 ・転倒の恐れがある場合（地盤が軟弱な場合）は，必要な広さ及び強度を有する鉄板等を敷設し，その上に移動式クレーンを設置する。 ・アウトリガーを最大限に張り出す。
作業中	・定格荷重を超える荷重を移動式クレーンにかけてはならない。 ・強風のため移動式クレーンに係る作業の実施について危険が予想されるときは，当該作業を中止しなければならない。 ・当該移動式クレーンの上部旋回体と接触することにより労働者に危険が生ずるおそれがある箇所に労働者を立ち入らせてはならない。 ・移動式クレーンの運転者は荷を吊ったままで，運転位置から離れさせてはならない。

問題４ □□□

供用中の道路上での大型道路情報板設置工事において，下図のような現場条件で移動式クレーンを使用する際に，架空線事故及びクレーンの転倒の防止をするための対策を各々１つ解答欄に記述しなさい。

H25［問題 5－2］出題

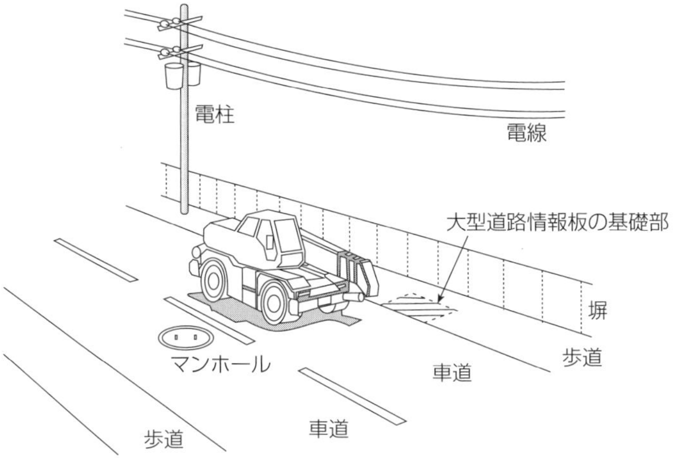

解答欄

架空線事故の防止対策

1.

クレーンの転倒の防止対策

2.

解説

労働安全衛生規則にのっとり，以下のような対策を行う。

	防止対策
架空線事故の防止	・電柱及び電線を移設してから作業を行う。 ・感電の危険を防止するための囲いを上部の電線に設ける。 ・上部の電線に絶縁用防具を装着する。 ・上部の電線から安全離隔距離を厳守して作業を行う。 ※「上記の措置を講ずることが著しく困難なときは，監視人を置き，作業を監視させること。」と定めはあるが，これはやむを得ない場合の措置であるため，記入しない方が望ましい。
クレーンの転倒の防止	・マンホールに鉄板を敷設し，アウトリガーを最大限張出す。 ・運転開始からしばらく時間が経過したところでアウトリガーの状態を点検し異常があれば矯正する。 ・強風のため，移動式クレーンに係る作業の実施について危険が予想されるときは，作業を中止する。 ・クレーンにその定格荷重をこえる荷重をかけて使用しない。

したがって，解答は，上記の項目より各々1つを簡潔に記述する。

問題5 □□□

下図のような道路上で工事用掘削機械を使用してガス管更新工事を行う場合，架空線損傷事故を防止するために配慮すべき具体的な安全対策について2つ，解答欄に記述しなさい。

R 3［問題 8］・H30［問題 8］出題

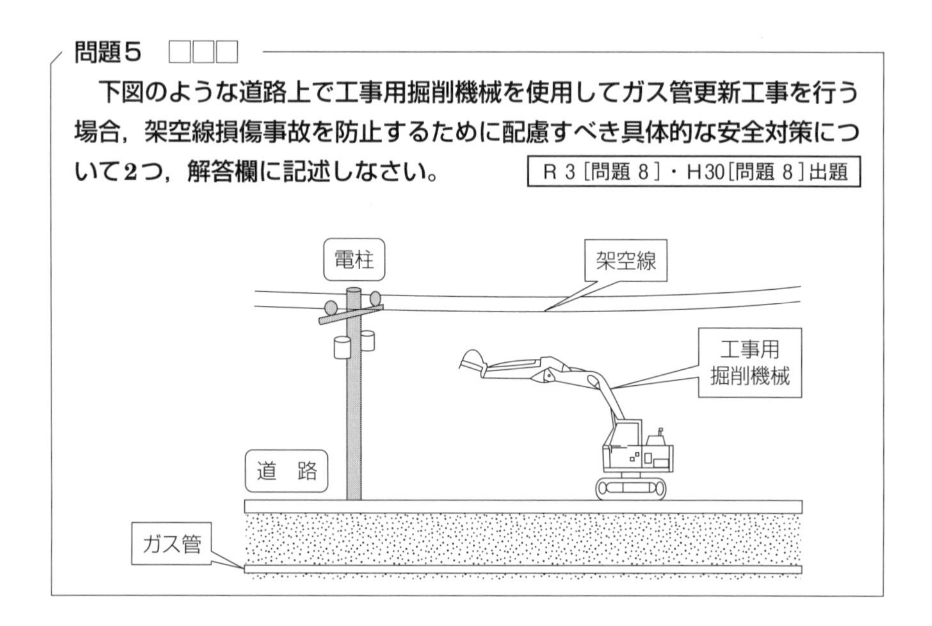

解答欄

架空線損傷事故の防止対策

1. ______________________________

2. ______________________________

解説

労働安全衛生規則では，架空線事故の防止による危険を防止するための措置については，以下のように規定されている。

・電柱及び電線を移設してから作業を行う。

・感電の危険を防止するための囲いを上部の電線に設ける。

・上部の電線に絶縁用防具を装着する。

・上部の電線から安全離隔距離を厳守して作業を行う。

上記の項目より，２つを簡潔に記述する。

平成30年度　問題８

［令和３年度　問題8］と同様の図で，ガス管と水道管が近接している状態での水道管補修工事を行う場合において，「**架空線損傷事故**」「**地下埋設物損傷事故**」を防止するため配慮すべき「具体的な安全対策をそれぞれ1つ解答欄に記述しなさい。」という問題が出題されています。

「架空線損傷事故」については上記と同様に回答して下さい。

「地下埋設物損傷事故」の防止対策が出題された場は以下の解答を参考にしてください。

・施工に先立ち，試掘を行い，その埋設物の種類・位置を確認する。

・工作物（埋設物）の損壊により労働者に危険を及ぼす可能性のある場合は，掘削機械を使用してはならない。

・ガス導管の損壊によって，危険を及ぼすおそれのあるときは，つり防護等（受け防護，ガス導管を移設）の措置を行う。

・ガス導管の防護の作業は，作業指揮者を指名して行う。

・溶接機等火気を伴う機械器具類を原則，使用してはならない。

労働災害防止対策［型枠支保工・土止め支保工・保護具の使用］

土止め支保工の組立作業時の留意事項

土止め支保工の組立作業において，労働災害を防止するために事業者が行わなければならない措置については，労働安全衛生規則に以下のとおり規定されている。

・土止め支保工を組み立てるときは，あらかじめ，**組立図を作成し，かつ，当該組立図により組み立てなければならない。**
・当該作業を行なう箇所には，**関係労働者以外の労働者が立ち入ることを禁止しなければならない。**
・**強風，大雨，大雪等の悪天候のため，作業の実施について危険が予想されるときは，当該作業に労働者を従事させてはならない。**
・鋼矢板の根入れ長は3.0m を下回ってはならない。
・火打ちを除く圧縮材の継手は突合せ継手とする。
・切りばり及び腹おこしは，脱落を防止するため，矢板，くい等に確実に取り付ける。
・土止め部材の変形，緊結部のゆるみ等異常が発見された場合は，直ちに作業員全員を必ず退避させる。
・向き合った土止め鋼矢板に土圧が同じようにかかるよう，左右対称に掘削作業を進める。
・掘削した溝の開口部には，確実に固定した囲い，防護網等を設置し，転落防止措置を講じる。
・掘削作業時，点検を行う者を指名し，指名された点検者が常時点検を行わなければならない。
・事業者は，土止め支保工の組立て又は解体の作業を行うときは，地山の掘削及び土止め支保工作業主任者技能講習を修了した者のうちから，土止め支保工作業主任者を選任しなければならない。
・土止め支保工の組立て等作業主任者に，次の事項を行わせなければならない。
　一　作業の方法を決定し，作業を直接指揮すること。
　二　材料の欠点の有無並びに器具及び工具を点検し，不良品を取り除くこと。
　三　作業中，要求性能墜落制止用器具等及び保護帽の使用状況を監視すること。

型枠支保工の組立作業時の留意事項

型枠支保工の組立作業において，労働災害を防止するために事業者が行わなければならない措置については，労働安全衛生規則に以下のとおり規定されている

- 型枠支保工を組み立てるときは，**組立図を作成し，かつ，当該組立図により組み立てなければならない。**
- 当該作業を行う区域には，**関係労働者以外の労働者の立ち入りを禁止する。**
- **強風，大雨，大雪等の悪天候のため，作業の実施について危険が予想されるときは，当該作業に労働者を従事させない。**
- 材料，器具又は工具を上げ，又はおろすときは，つり綱，つり袋等を労働者に使用させる。
- 事業者は，型枠支保工の組立て又は解体の作業を行うときは，型枠支保工の組立て等作業主任者技能講習を修了した者のうちから，型枠支保工の組立て等作業主任者を選任しなければならない。
- 型枠支保工の組立て等作業主任者に，次の事項を行わせなければならない。

一　作業の方法を決定し，作業を直接指揮すること。

二　材料の欠点の有無並びに器具及び工具を点検し，不良品を取り除くこと。

三　作業中，要求性能墜落制止用器具等及び保護帽の使用状況を監視すること。

保護具の使用上の留意事項

保護具は，危険・有害要因から作業者を保護するために，作業者が身につけることによってその効果を発揮するもので，その種類は，頭部から足部までの身体の部位，また対応する危険・有害要因に応じて多種多様にわたっている。「労働安全衛生法」では，労働災害防止のために保護具の着用義務がある作業が規定されている。

1）一般的な保護具の選択と使用についての留意点（全ての保護具に該当）

①　作業の有害要因および危険影響等に応じて適切な保護具を選択する。

②　各保護具の特徴やガイドライン（取り扱い説明書）等を基に，危険・有害要因に適し，また作業がしやすい保護具を選択する。

③　着用する作業者の人体に整合するものを選択する。

安全管理

④　保護具のガイドラインに従って適正に使用する。

⑤　保護具の性能を維持するために適切な保守管理が必要で，使用前に点検をする。

⑥　作業者に保護具使用の意義の正しい理解等指導し，また，正しい装着について実技訓練を行う。

2）要求性能墜落制止用器具，保安帽，安全靴に対する個別の使用上の留意事項

イ）要求性能墜落制止用器具

①　ロープ，ベルトに損傷はないか。

②　一度でも大きな荷重が加わった場合は廃棄する。

③　使用開始から一定期間を経過したロープ等は交換する。

④　ロープ（ランヤード）は鋭い角のないところに取付ける。

⑤　フックは，墜落した場合に振り子状態になって構造物に激突しないような場所に取り付ける。

⑥　フックは腰より高い位置の堅固な構造物に正しく取付ける。

※　第二種ショックアブソーバを使用する場合は，腰より低い位置に取付けることができる。

⑦　着用者の体重及びその装備品の重量の合計に耐えるものでなければならない。

⑧　肩ベルト・腿ベルトおよび胸ベルトは緩みがないように締めて装着する。（胴ベルト型は腰骨のところでしっかりと締め付ける。）

⑨　法に基づく「要求性能墜落制止用器具の規格」で規定されている構造・性能に適合した製品を使用する。

ロ）保安帽

①　帽体に破損はないか。

②　一度でも大きな衝撃を受けた場合は使用しない。

③　帽体等は一定期間経過後に交換する。

④　頭にあった保安帽を使用する。

⑤　あごひもを必ず，正しく締める。

⑥　法に基づく「保安帽の規格」で規定されている構造・性能に適合した製品を使用する。

⑦　場合により，飛来・落下物用，墜落時保護用を兼用する保安帽を着用する。

ハ）安全靴

①　甲被や表底が著しく損傷していないか。

②　衝撃，圧迫を受けた場合，速やかに交換する。

③　表底が発砲ポリウレタンの場合は，熱，溶剤，酸，アルカリ性薬品などにより溶解することがあるので注意する。

④　日本産業規格（JIS）の［**安全靴**］の構造・性能規定に適合した製品を使用する。

関連問題&よくわかる解説

問題1 □□□

下図に示す土止め支保工の組立て作業にあたり，安全管理上必要な労働災害防止対策に関して労働安全衛生規則に定められている内容について2つ解答欄に記述しなさい。

ただし，解答欄の（例）と同一内容は不可とする。 R1［問題8］出題

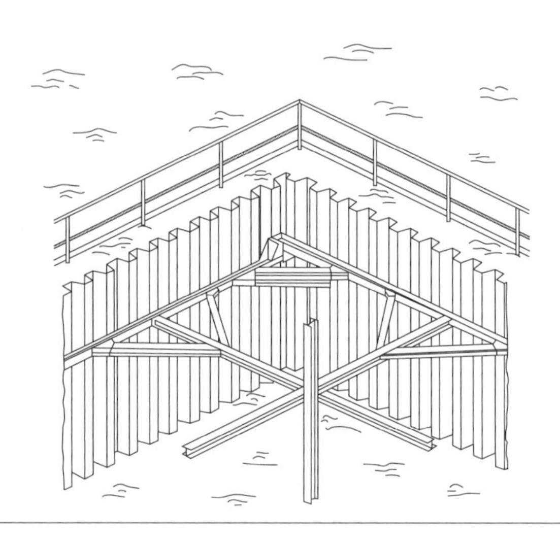

解答欄

労働安全衛生規則に定められている内容

1. ______

2. ______

解説

土止め支保工の組立作業において，労働災害を防止するために事業者が行わなければならない措置については，労働安全衛生規則に以下のとおり規定されている。

・土止め支保工を組み立てるときは，あらかじめ，組立図を作成し，かつ，当該組立図により組み立てなければならない。
・鋼矢板の根入れ長は3.0mを下回ってはならない。
・火打ちを除く圧縮材の継手は突合せ継手とする。
・切りばり及び腹おこしは，脱落を防止するため，矢板，くい等に確実に取り付ける。
・土止め部材の変形，緊結部のゆるみ等異常が発見された場合は，直ちに作業員全員を必ず退避させる。
・掘削した溝の開口部には，確実に固定した囲い，防護網等を設置し，転落防止措置を講じる。

問題2 □□□

事業者が型わく支保工の組立作業において，労働災害を防止するため，実施しなければならない項目を2つ解答欄に記述しなさい。

ただし，型わく支保工の部材の設計や構造計画に関するものは除く。

H22［問題 4－2］出題

解答欄

実施しなければならない項目

1.

2.

解説

型枠支保工の組立作業において，労働災害を防止するために事業者が行わなければならない措置については，労働安全衛生規則に以下のとおり規定されている。

・型枠支保工を組み立てるときは，組立図を作成し，かつ，当該組立図により組み立てなければならない。

・当該作業を行う区域には，関係労働者以外の労働者の立ち入りを禁止する。

・強風，大雨，大雪等の悪天候のため，作業の実施について危険が予想されるときは，当該作業に労働者を従事させない。

・材料，器具又は工具を上げ，又はおろすときは，つり綱，つり袋等を労働者に使用させる。

・型枠支保工の組立て等作業主任者技能講習を修了した者のうちから，型枠支保工の組立て等作業主任者を選任する。

したがって，解答は以上から2つの内容を選択し，簡潔に解答する。

問題3 □□□

建設工事において労働災害防止のために着用が必要な保護具を2つあげ，各々の点検項目又は使用上の留意点について記述しなさい。

H24［問題 5－2］出題

解答欄

1．保護具名；

点検項目又は使用上の留意点；

2．保護具名；

点検項目又は使用上の留意点；

解説

○要求性能墜落制止用器具

点検項目又は使用上の留意点	・保護具の性能を維持するために適切な保守管理が必要で，使用前に点検をする。（ロープ，ベルトに損傷はないか確認を行う。） ・使用開始から一定期間を経過したロープ等は交換する。 ・一度でも大きな荷重が加わった場合は廃棄する。 ・フックは腰より高い位置の堅固な構造物に正しく取付ける。 ・着用する作業者の人体に整合するものを選択する。（着用者の体重及びその装備品の重量の合計に耐えるものでなければならない。） ・ロープ（ランヤード）は鋭い角のないところに取付ける。

安全管理

〇保安帽

点検項目又は使用上の留意点	・保護具の性能を維持するために適切な保守管理が必要で，使用前に点検をする。 ・着用する作業者の人体に整合するものを選択する。 ・帽体に破損はないか。 ・一度でも大きな衝撃を受けた場合は使用しない。 ・帽体等は一定期間経過後に交換する。 ・頭にあった保安帽を使用する。 ・あごひもを必ず，正しく締める。

〇安全靴

点検項目又は使用上の留意点	・保護具の性能を維持するために適切な保守管理が必要で，使用前に点検をする。 ・着用する作業者の人体に整合するものを選択する。 ・甲被や表底が著しく損傷していないか。 ・衝撃，圧迫を受けた場合，速やかに交換する。

したがって，解答は，上記保護具の留意点から2つを選択し解答欄に簡潔に記述する。

※ここに記載している以外の保護具の留意点でも構わない。

施工管理

出題概要

出題問題数	出題内容	出題形式
1～3 問	施工計画書の作成（事前調査），各種工程表（バーチャート工程表），副産物対策・環境対策 等	穴埋め問題，バーチャートの作成，記述式問題（内容，特徴，方法，措置 等）

出題パターン（出題予想）

	事前調査	各種工程表	バーチャート工程表	副産物対策	騒音対策
令和6年度	○	◎	△	△	○
令和5年度			管渠	記述	
令和4年度	記述	穴埋め			記述
令和3年度		記述（各種工程表）			
令和2年度			ボックスカルバート		
令和元年度		記述（各種工程表）			
平成30年度			現場打ちコンクリート側溝		
平成29年度				記述	
平成28年度			U 型側溝		
平成27年度					記述
平成26年度				記述	
平成25年度			コンクリート擁壁		穴埋め
平成24年度			管渠	穴埋め	
平成23年度			現場打ちコンクリート側溝		

事前調査

施工計画を作成するための**事前調査**事項には，**契約条件**と**現場条件**がある。

契約条件の確認

① 契約内容の確認

・事業損失，不可抗力による損害に対する取扱い方法
・工事中止にもとづく損害に対する取扱い方法
・資材，労務費の変動にもとづく変更の取扱い方法
・契約不適合責任（かし担保）の範囲等
・工事代金の支払条件
・数量の増減による変更の取扱い方法

② 設計図書の確認（工事内容の把握）

・図面と現場との相違点および数量の違算の有無
・図面，仕様書，施工管理基準などによる規格値や基準値
・現場説明事項の内容

③ その他の確認

・監督職員の指示，承諾，協議事項の範囲
・当該工事に影響する附帯工事，関連工事
・工事が施工される都道府県，市町村の各種条例とその内容

現場条件の確認

① 自然・気象条件の把握

・地形，地質，土質，地下水
・施工に関係のある水文気象

② 仮設計画の立案

・施工方法，仮設規模，施工機械の選択方法
・動力源，工事用水の入手方法

③ 資機材の把握

・材料の供給源と価格および運搬路
・労務の供給，労務環境，賃金の状況

④ 近隣環境の把握

・工事によって支障を生ずる問題点
・用地買収の進行状況

・隣接工事の状況
・騒音，振動などに関する環境保全基準，各種指導要綱の内容
・文化財および地下埋設物などの有無

⑤　**建設副産物の適正処理**

・建設副産物の処理方法・処理条件など

関連問題&よくわかる解説

問題1　□□□

土木工事の施工計画を作成するにあたって実施する，事前の調査について，下記の項目①～③から2つ選び，その番号，実施内容について，解答欄の（例）を参考にして，解答欄に記述しなさい。　R 4［問題 3］出題

①契約書類の確認
②自然条件の調査
③近隣環境の調査

解答欄

番号	項目	実施内容

解説

以下の項目から 2 つ選び解答する。

番号	項目	実施内容
①	契約書類の確認	・事業損失，不可抗力による損害に対する取扱い方法について ・工事中止にもとづく損害に対する取扱い方法について ・資材，労務費の変動にもとづく変更の取扱い方法について ・契約不適合責任（かし担保）の範囲等について ・工事代金の支払条件について ・数量の増減による変更の取扱い方法について

②	自然条件の調査	・地形，地質，土質，地下水の状態について ・降雨量，気温，風力，風向等の気象データについて
③	近隣環境の調査	・文化財および地下埋設物などの有無について ・送電線や鉄塔等の地上障害物についての支障物件について ・掘削による近接家屋への影響（地盤沈下，地下水等）について ・用地買収の進行状況について ・隣接工事の状況について ・騒音，振動などに関する環境保全基準について

各種工程表

横線式工程表

バーチャート工程表

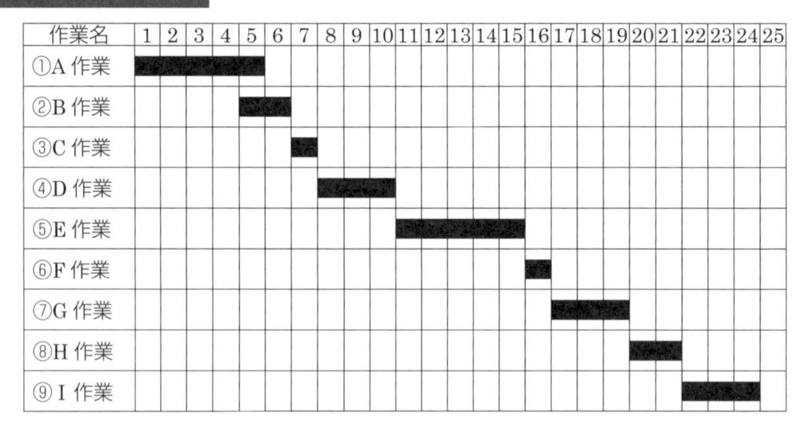

- 横軸に**日数**（全体工期，月毎，週毎など），縦軸に**作業名**を記入する。
- 簡単な工事で作業数の少ない場合に適している。
- 作成が容易で，各作業の開始日・終了日・所要日数が分かりやすく，ある程度作業間の関連が把握できる。

ガントチャート工程表

- 縦軸に**作業名**，横軸に進捗率（**出来高比率**；何パーセント作業が終了しているか）を記入する。
- 作成が容易で，各作業のある時点の進捗度合いがよくわかる。

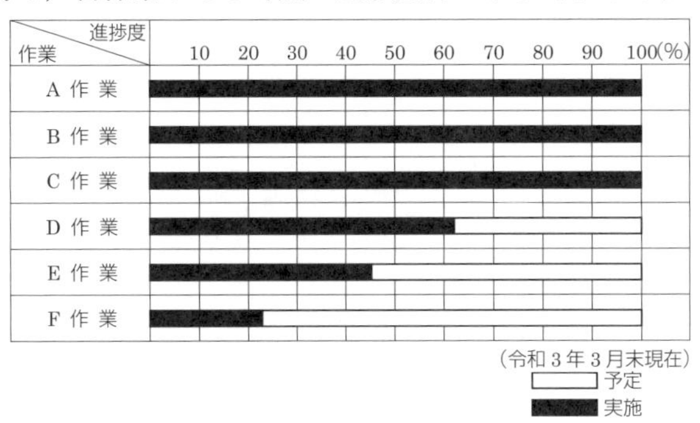

斜線式工程表

座標式工程表

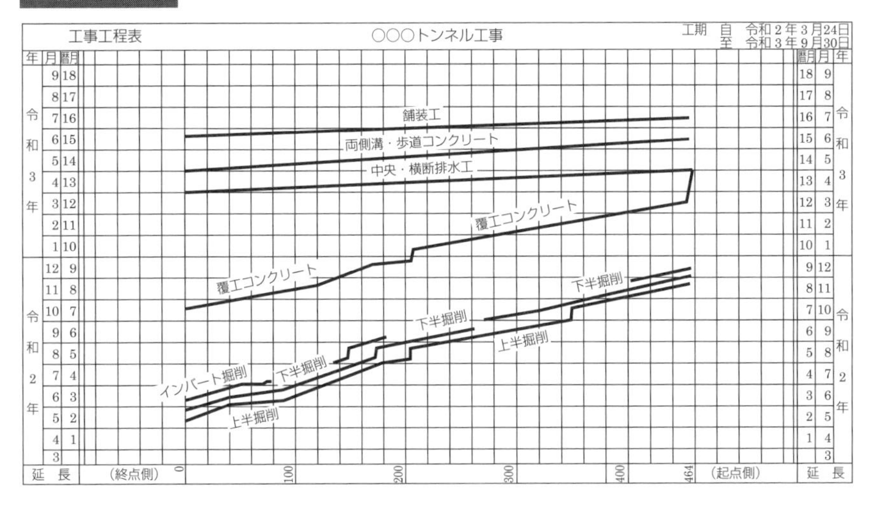

- 横軸に区間，縦軸に日数（工期）をとり，各工種の作業を１本の**斜線**で示す。
- トンネル工事のように工事区間が線上に長く，しかも工事の**進行方向**が一定の方向に進捗するような工事によく用いられる。
- 作業期間，着手地点，進行方向，作業速度を示すことができるので，工事の進捗状況がわかる。

曲線式工程表

グラフ式工程表

・横軸に**日数**（工期）をとり，縦軸に各作業の**出来高比率**を表示した工程表である。

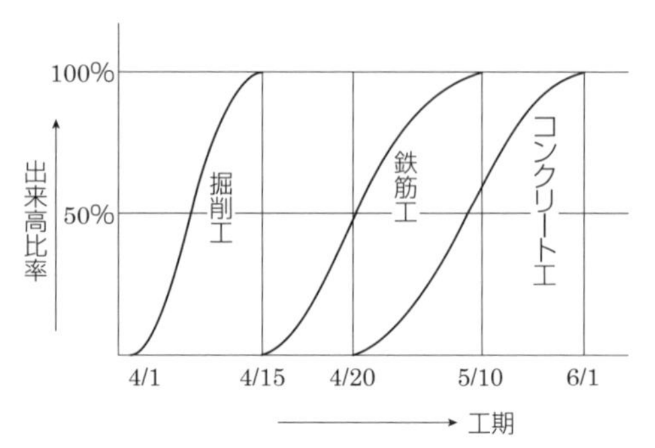

・各作業の開始日・終了日・所要日数が分かりやすく，ある程度，作業間の関連が把握できる。

・どの作業が未着手か，施工中か，完了したのか一目瞭然であり，予定と実績との差を直視的に比較でき，施工中の作業の進捗状況もよくわかる。

出来高累計曲線

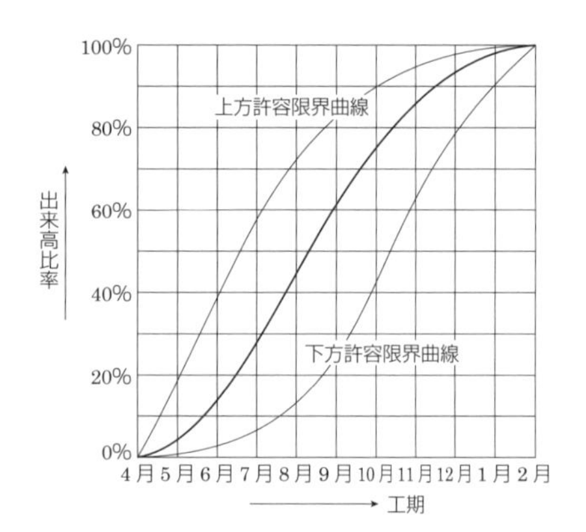

・縦軸に**出来高比率**（%），横軸に**工期**（時間経過比率）を取り，あらかじめ，予定工程を計画し，実施工程がその上方限界及び下方限界の許容範囲内に収まるように管理する工程表である。

・出来高累計曲線は，**初期→中期→終期**で**緩→急→緩**となるのが一般的で**S字型の曲線**となる。

・全体作業の進捗率（出来高）が明確に分かる。工事の遅れ，無駄を視覚的に把握しやすい。

ネットワーク工程表

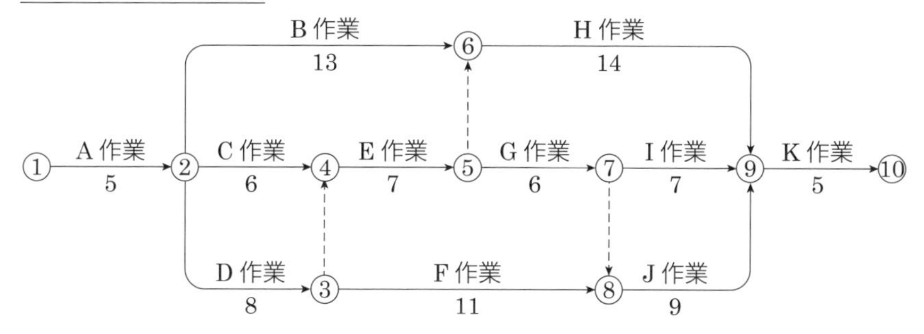

・丸印（○）と矢線（→）で表された工程表で，矢印の上に作業名，下に作業日数を記入する。

・工事内容を系統的に明確にし，作業相互の関連や順序，**施工時期**を的確に判断できる。

・**作業の手順，各作業の開始日・終了日（所要日数），作業進行の度合いが把握できる。**

・1つの作業の遅れや変化が**全体**工事と部分工事にどのように影響してくるかを明確に表現ができ，また数多い作業の中でどの作業が全体の工程を最も強く支配し，時間的に余裕のない経路（**クリティカルパス**）であるかをあらかじめ確認することができる。

・**クリティカルパス**を求めることにより重点管理作業や工事完成日の予測ができる。

・**工期に影響する作業が把握できるため，工種が多く複雑な場合に用いられる。**

施工管理

関連問題&よくわかる解説

問題1 □□□

建設工事に用いる工程表に関する次の文章の［　　　］の（イ）～（ホ）に当てはまる適切な語句を，下記の語句から選び解答欄に記入しなさい。

R 4［問題 2］出題

⑴ 横線式工程表には，バーチャートとガントチャートがあり，バーチャートは縦軸に部分工事を取り，横軸に必要な［　イ　］を棒線で記入した図表で，各工事の工期がわかりやすい。ガントチャートは縦軸に部分工事をとり，横軸に各工事の［　ロ　］を棒線で記入した図表で，各工事の進歩状況がわかる。

⑵ ネットワーク工程表は，工事内容を系統的に明確にし，作業相互の関連や順序，［　ハ　］を的確に判断でき，［　ニ　］工事と部分工事の関連が明確に表現できる。また，［　ホ　］を求めることにより重点管理作業や工事完成日の予測ができる。

［語句］

アクティビティ，	経済性，	機械，	人力，	施工時期，
クリティカルパス，	安全性，	全体，	費用，	掘削，
出来高比率，	降雨日，	休憩，	日数，	アロー

解説

⑴ 横線式工程表には，バーチャートとガントチャートがあり，バーチャートは縦軸に部分工事を取り，横軸に必要な［**日数**］を棒線で記入した図表で，各工事の工期がわかりやすい。ガントチャートは縦軸に部分工事をとり，横軸に各工事の［**出来高比率**］を棒線で記入した図表で，各工事の進歩状況がわかる。

⑵ ネットワーク工程表は，工事内容を系統的に明確にし，作業相互の関連や順序，［**施工時期**］を的確に判断でき，［**全体**］工事と部分工事の関連が明確に表現できる。また，［**クリティカルパス**］を求めることにより重点管理作業や工事完成日の予測ができる。

解答

(イ)	(ロ)	(ハ)	(ニ)	(ホ)
日数	出来高比率	施工時期	全体	クリティカルパス

問題２ □□□

建設工事において用いる次の工程表の特徴について，それぞれ１つずつ解答欄に記述しなさい。 R３・R１［問題９］出題

⑴　横線式工程表

⑵　ネットワーク式工程表

解答欄

⑴　**横線式工程表**

⑵　**ネットワーク式工程表**

解説

⑴　**横線式工程表の特徴**

・縦軸に作業名を記入し，バーチャートでは横軸に日数，ガントチャートでは進捗率を横線で記入する。

・作成が容易で，工種数が少ない場合の工程管理に適している。

・バーチャートは各作業の開始日・終了日・所要日数が分かりやすい。

・ガントチャートは，各作業の進捗度合いが一目でわかる。

⑵　**ネットワーク式工程表**

・作業の手順，各作業の開始日・終了日（所要日数）が把握できる。

・明確に作業間の関連・工期に影響する作業が把握できるため，工種が多く複雑な場合に用いられる。

・1つの作業の遅れや変化が工事全体の工期にどのように影響してくるか（フォローアップ）を早く正確に理解できる。
・数多い作業の中でどの作業が全体の工程を最も強く支配し，時間的に余裕のない経路かを確認することができる。

以上の特徴の中からそれぞれ1つを選び，解答欄に記述する。

※　試験問題では解答欄に記入例が記載されている場合があります。その場合は解答例と同一内容は避けて記入してください。

バーチャートの作成

ボックスカルバート・側溝・管渠等の施工の各作業の順序を並び変え，バーチャートを作成し，全所要日数を求める問題が出題されます。

解答のコツ

・問題文をよく読み，作業工程を順番に並べる。（ナンバリングする）
・重複作業に注意し，左詰めで作業日数分の横線を記入する。

※　試験では定規が使用できない為，フリーハンドでの記入となります。細い1本線や，枠全体を塗りつぶすのではなく，本テキストの解答例に記載しているように，ある程度の太さを持たせた横線（バー）を記入し，丁寧に塗りつぶしてください。

・作図から求められた全所要日数を解答欄に記入してください。

関連問題&よくわかる解説

問題1　□□□

下図のような管渠を構築する場合，施工手順に基づき工種名を記述し，横線式工程表（バーチャート）を作成し，全所要日数を求め解答欄に記述しなさい。各工種の作業日数は次のとおりとする。

R 5［問題 9］（H24）出題

・床掘工7日　・基礎砕石工5日　・養生工7日　・埋戻し工3日
・型枠組立工3日　・型枠取外し工1日　・コンクリート打込み工1日
・管渠敷設工4日

ただし，基礎砕石工については床掘工と3日重複作業で行うものとする。また，解答用紙に記載されている工種は施工手順として決められたものとする。

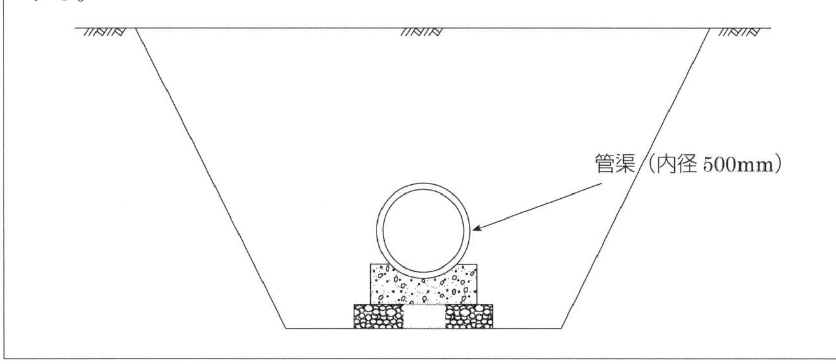

解答欄

1. バーチャート工程表

手順	工　種	作業工程（日） 0	5	10	15	20	25	30
①								
②								
③	管渠敷設工							
④								
⑤	コンクリート打込み工事							
⑥								
⑦								
⑧	埋戻し工							

2. 所要日数 ＿＿＿＿＿＿日

解説

各工種の施工手順は，①**床掘工7日**→②**基礎砕石工5日**→③管渠敷設工4日→④**型枠組立工3日**→⑤コンクリート打込み工1日→⑥**養生工7日**→⑦**型枠取外し工1日**→⑧

施工管理

埋戻し工3日となる。ただし，①床掘工と②基礎工は3日の重複作業で行うものとする。施工手順に従い，各工種を縦軸に列記して，その所有日数と条件を基に，工程線を着手日から図表に当てはめると，下表の工程表となり**所要日数**は**28日**となる。

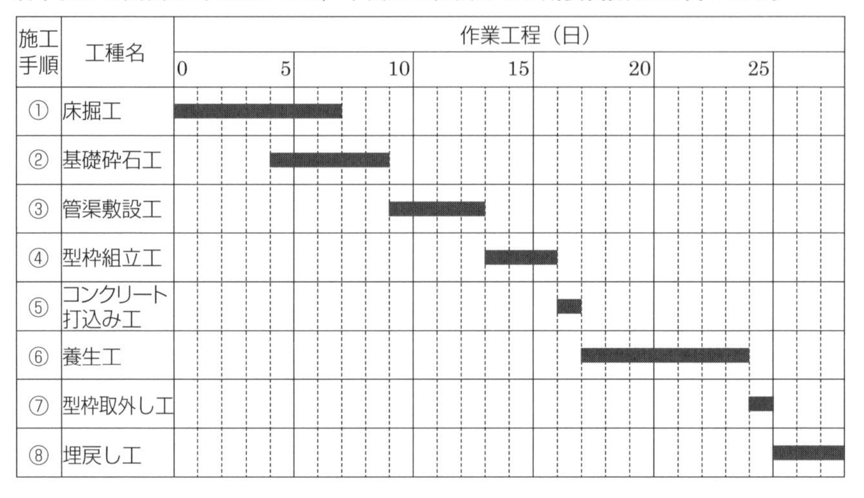

施工手順	工種名	作業工程（日）					
		0	5	10	15	20	25
①	床掘工						
②	基礎砕石工						
③	管渠敷設工						
④	型枠組立工						
⑤	コンクリート打込み工						
⑥	養生工						
⑦	型枠取外し工						
⑧	埋戻し工						

問題2 □□□

下図のようなプレキャストボックスカルバートを築造する場合，施工手順に基づき工種名を記述し，横線式工程表（バーチャート）を作成し，全所要日数を求め解答欄に記述しなさい。各工種の作業日数は次のとおりとする。

R２［問題９］出題

・床掘工5日　・養生工7日　・残土処理工1日　・埋戻し工3日
・据付け工3日　・基礎砕石工3日　・均しコンクリート工3日

ただし，床掘工と次の工種及び据付け工と次の工種はそれぞれ1日間の重複作業で行うものとする。また，解答用紙に記載されている工種は施工手順として決められたものとする。

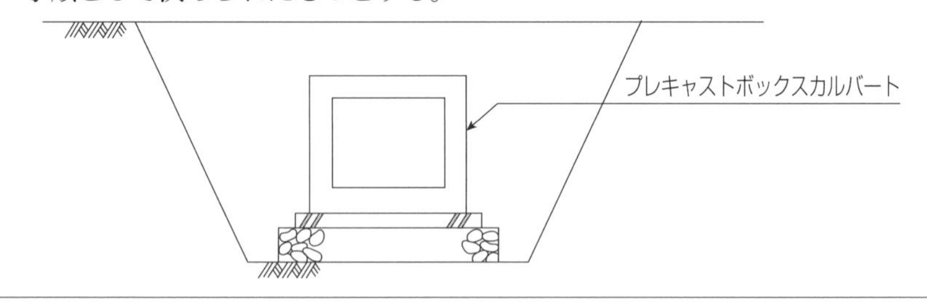

解答欄

1. バーチャート工程表

手順	工　種	5	10	15	20	25
①	床掘工					
②						
③						
④	養生工					
⑤						
⑥						
⑦	残土処理工					

2. 所要日数 ＿＿＿＿＿＿＿＿＿＿ 日

解説

各工種の施工手順は，①床掘工（5日）→②基礎砕石工（3日）→③均しコンクリート工（3日）→④養生工（7日）→⑤据付け工（3日）→⑥埋戻し工（3日）→⑦残土処理工（1日）となる。ただし，①床掘工と②基礎砕石工及び⑤据付け工と⑥埋戻し工については，それぞれは1日の重複作業として行うものとする。

施工手順に従い，各工種を縦軸に列記して，その所有日数と条件を基に，工程線を着手日から図表に当てはめると，下表の工程表となり**所要日数は23日**となる。

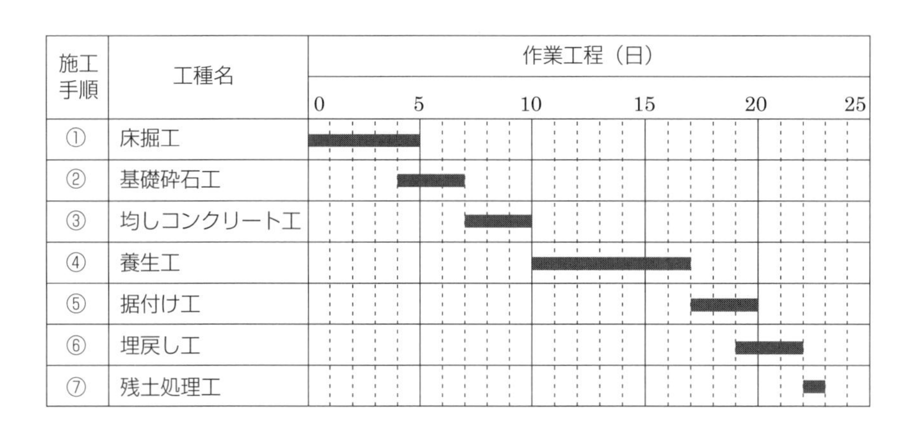

問題3 □□□

下図のような現場打ちコンクリート側溝を築造する場合，施工手順に基づき工種名を記述し横線式工程表（バーチャート）を作成し，全所要日数を求め解答欄に記入しなさい。

各工種の作業日数は次のとおりとする。　H30［問題 9］出題

・側壁型枠工5日　・底版コンクリート打設工1日
・側壁コンクリート打設工2日　・底版コンクリート養生工3日
・側壁コンクリート養生工4日　・基礎工3日
・床掘工5日　・埋戻し工3日　・側壁型枠脱型工2日

ただし，床掘工と基礎工については1日の重複作業で，また側壁型枠工と側壁コンクリート打設工についても1日の重複作業で行うものとする。

また，解答用紙に記載されている工種は施工手順として決められたものとする。

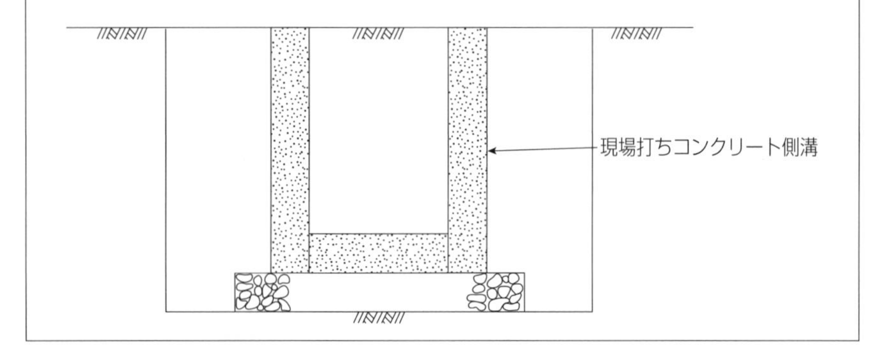

解答欄

1. バーチャート工程表

手順	工種	作業工程（日）					
		5	10	15	20	25	30
①							
②	基礎工						
③							
④							
⑤	側壁コンクリート養生工						
⑥							
⑦							
⑧	底版コンクリート養生工						
⑨	埋戻し工						

2. 所要日数 ＿＿＿＿＿＿＿＿＿＿日

解説

各工種の施工手順は，①床掘工5日→②基礎工3日→③側壁型枠工5日→④側壁コンクリート打設工2日→⑤側壁コンクリート養生工4日→⑥側壁型枠脱型工2日→⑦底版コンクリート打設工1日→⑧底版コンクリート養生工3日→⑨埋戻し工3日となる。ただし，①床掘工と②基礎工及び，③側壁型枠工と④側壁コンクリート打設工は1日の重複作業で行うものとする。

施工手順に従い，各工種を縦軸に列記して，その所有日数と条件を基に，工程線を着手日から図表に当てはめると，次表の工程表となり**所要日数は26日**となる。

施工管理

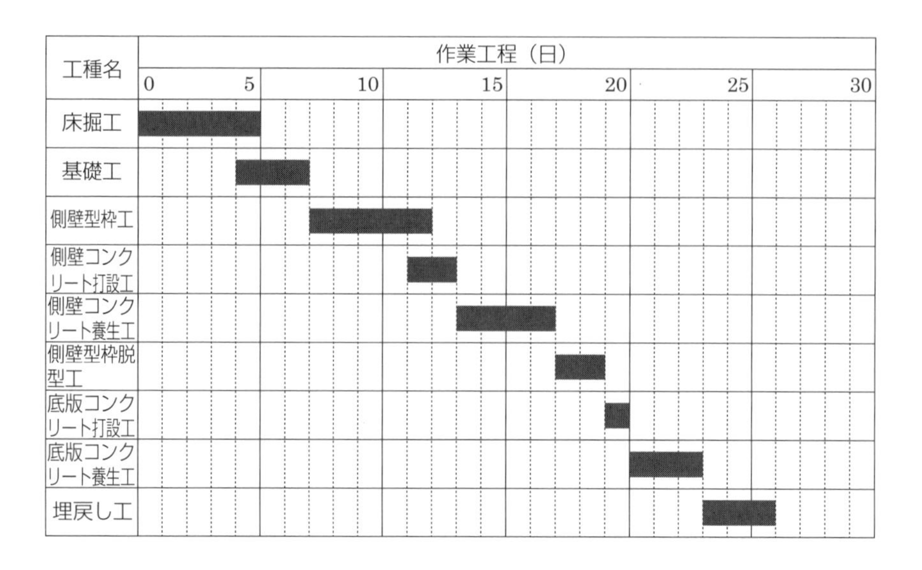

問題4 □□□

下図のようなプレキャストU型側溝を築造する場合，施工手順に基づき工種名を記入し横線式工程表（バーチャート）を作成し，全所要日数を求め解答欄に記述しなさい。

ただし，各工種の作業日数は下記の条件とする。 H28［問題 9］出題

床掘工5日，据付け工4日，埋戻し工2日，基礎工3日，敷モルタル工4日，残土処理工1日とし，基礎工については床掘工と2日の重複作業，また，敷モルタル工と据付け工は同時作業で行うものとする。

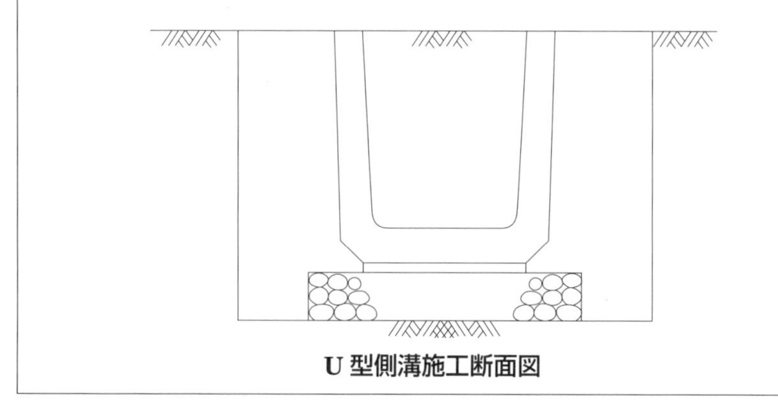

U型側溝施工断面図

解答欄

1. バーチャート工程表

手順	工　種					5					10					15					20
①																					
②																					
③																					
④																					
⑤																					
⑥																					

2. 所要日数 ＿＿＿＿＿＿＿＿日

解説

各工種の施工手順は，①床掘工（5日）→②基礎工（3日）→③敷モルタル工（4日）→④据付け工（4日）→⑤埋戻し工（2日）→⑥残土処理工（1日）となる。ただし，①床掘工と②基礎工は2日の重複作業，③敷モルタル工と④据付け工は同時作業で行う。

施工手順に従い，各工種を縦軸に列記して，その所有日数と条件を基に，工程線を着手日から図表に当てはめると，次表の工程表となり**所要日数は13日**となる。

施工管理

手順	工　種	作 業 工 程（日）
		0　　　5　　　10　　　15　　　20
①	床掘工	
②	基礎工	
③	敷モルタル工	
④	据付け工	
⑤	埋戻し工	
⑥	残土処理工	

問題５ □□□

下図のような置換土の上にコンクリート重力式擁壁を築造する場合，施工手順に基づき横線式工程表（バーチャート）を作成し，その所要日数を求め解答欄に記入しなさい。

ただし，各工種の作業日数は下記の条件とする。　H25［問題 4－2］出題

養生工7日，コンクリート打込み工1日，基礎砕石工3日，床掘工7日，置換工6日，型枠組立工3日，型枠取外し工1日，埋戻し工3日とする。

なお，床掘工と置換工は2日，置換工と基礎砕石工は1日の重複作業で行うものとする。

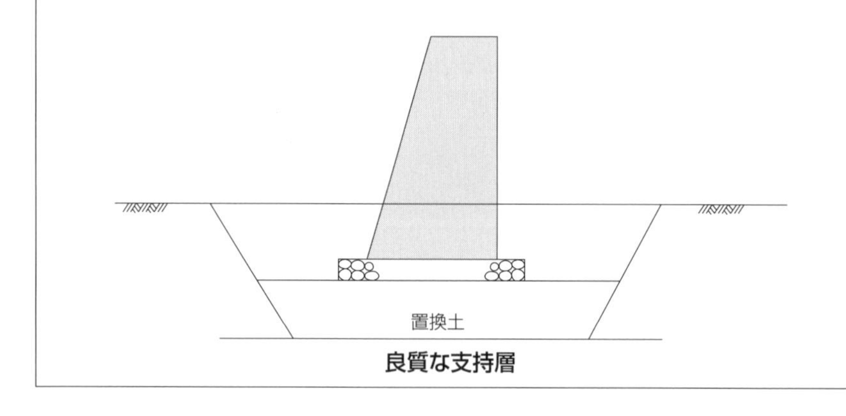

解答欄

1. バーチャート工程表

手順	工種	作業工程（日）					
		5	10	15	20	25	30
①							
②							
③							
④							
⑤							
⑥							
⑦							
⑧							

2. 所要日数 ＿＿＿＿＿＿＿＿＿日

解説

設問のコンクリート重力式擁壁を構築する場合の横線式工程表（バーチャート）を作成すると以下のとおりである。

各工程の手順は①床掘工7日→②置換工6日→③基礎砕石工3日→④型枠組立工3日→⑤コンクリート打込み工1日→⑥養生工7日→⑦型枠取外し工1日→⑧埋戻し工3日となる。（床掘工と置換工の2日間，置換工と基礎砕石工の1日間を重複させて日程を組む）施工手順に従い，各工程を縦軸に列記して，その所要日数を基に工程線を着手日から図表に当てはめると，次表の工程表となり，**所要日数は28日**となる。

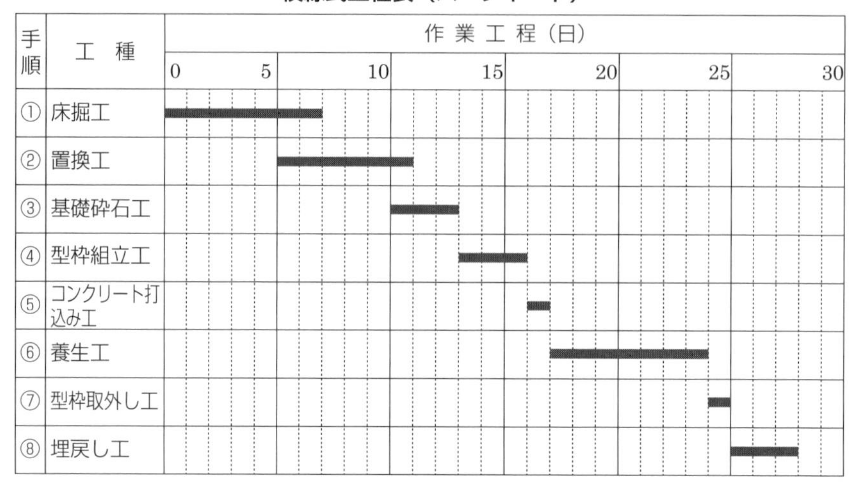

副産物対策

建設工事に係わる資材の再資源化等に関する法律（建設リサイクル法）

建設リサイクル法は，**特定建設資材**について，分別解体および再資源化等を促進し，廃棄物の適正な処理を図る法律である。

・発注者，元請業者等は，建設工事の施工に当たり，適切な工法の選択等により，建設発生土の**発生の抑制**に努めるとともに，その**現場内利用**の促進等により搬出の抑制に努めなければならない。

・発注者は，建設発生土を必要とする他の工事現場との情報交換システムを活かした連絡調整，**ストックヤード**の確保，再生資源施設の活用，必要に応じて**土質改良**を行うことにより，工事間の利用の促進に努めなければならない。

・元請業者等は，建設発生土の搬出にあたっては建設廃棄物が混入しないよう，**分別**に努めなければならない

特定建設資材

建設資材廃棄物となった場合に再資源化が資源の有効な利用および廃棄物の減量を図るうえで特に必要であり，かつ，その再資源化が経済性の面において制約が著しくないものとして政令で定めた下記の4種類である。

・コンクリート（コンクリート塊）
・コンクリート及び鉄からなる建設資材（コンクリート塊）
・木材（建設発生木材）
・アスファルト・コンクリート（アスファルト・コンクリート塊）

なお「特定建設資材に係る分別解体等及び特定建設資材廃棄物の再資源化等の促進等に関する基本方針」では，次表のように特定建設資材の処理方法と処理後の利用用途が示されている。

特定建設資材の処理方法と利用用途

特定建設資材	処理方法	再資源化後の材料名	利用用途
コンクリート（コンクリート塊） コンクリート及び鉄からなる建設資材（コンクリート塊）	①破砕 ②選別 ③混合物除去 ④粒度調整	①再生クラッシャーラン ②再生コンクリート砂 ③再生粒度調整砕石	①路盤材 ②埋め戻し材 ③基礎材 ④コンクリート用骨材
木材 （建設発生木材）	①チップ化	①木質ボード ②堆肥 ③木質マルチング材	①住宅構造用建材 ②コンクリート型枠 ③発電燃料
アスファルト・コンクリート （アスファルト・コンクリート塊）	①破砕 ②選別 ③混合物除去 ④粒度調整	①再生加熱アスファルト安定処理混合物 ②表層基層用再生加熱アスファルト混合物 ③再生骨材	①上層路盤材 ②基層用材料 ③表層用材料 ④路盤材 ⑤埋め戻し材 ⑥基礎材

資源の有効な利用の促進に関する法律

・建設発生土は，要求品質を満たすように必要に応じて添加材による改良が行われ，盛土や造成用の材料として再利用される。なお，国土交通省において「発生土利用基準」が定められており，下表のとおりである。

建設発生土の主な利用用途

区　分		利用用途
第1種建設発生土	砂，礫およびこれらに準ずるものをいう。	工作物の埋戻し材料 土木構造物の裏込材 道路盛土材料 宅地造成用材料
第2種建設発生土	砂質土，礫質土およびこれらに準ずるものをいう。	土木構造物の裏込材 道路盛土材料 河川築堤材料 宅地造成用材料
第3種建設発生土	通常の施工性が確保される粘性土およびこれに準ずるものをいう。	土木構造物の裏込材 道路路体用盛土材料 河川築堤材料 宅地造成用材料 水面埋立て用材料
第4種建設発生土	粘性土およびこれに準ずるもの（第3種建設発生土を除く。）をいう。	水面埋立て用材料

・コンクリート塊については，天然石に較べて若干比重が軽く強度の点でも劣るが，表に示すように，広く道路の路盤材料として，天然の砕石に代わり用いられている。また，国土交通省では，コンクリート用再生骨材の品質規格を定め，下表のようにコンクリート用骨材としての利用を促進している。

コンクリート塊の主な利用用途

区　分	主な利用用途
再生クラッシャーラン	道路舗装およびその他舗装の下層路盤材料 土木構造物の裏込材および基礎材 建築物の基礎材
再生コンクリート砂	工作物の埋戻し材料および基礎材
再生粒度調整砕石	その他舗装の上層路盤材料
再生セメント安定処理路盤材料	道路舗装およびその他舗装の路盤材料
再生石灰安定処理路盤材料	道路舗装およびその他舗装の路盤材料

関連問題&よくわかる解説

問題1 □□□

「建設工事に係る資材の再資源化等に関する法律」（建設リサイクル法）に定められている建設発生土の有効活用に関して，次の文章の［　　］の（イ）～（ホ）に当てはまる適切な語句を，下記の語句から選び解答欄に記入しなさい。 H24［問題 5－1］出題

⑴　発注者，元請業者等は，建設工事の施工に当たり，適切な工法の選択等により，建設発生土の［　イ　］に努めるとともに，その［　ロ　］の促進等により搬出の抑制に努めなければならない。

⑵　発注者は，建設発生土を必要とする他の工事現場との情報交換システムを活かした連絡調整，［　ハ　］の確保，再資源化施設の活用，必要に応じて［　ニ　］を行うことにより，工事間の利用の促進に努めなければならない。

⑶　元請業者等は，建設発生土の搬出にあたっては産業廃棄物が混入しないよう，［　ホ　］に努めなければならない。

［語句］

埋め立て地，	土質改良，	分別，	発生の抑制，	再生利用，
ストックヤード，	発生の促進，	現場外利用，	置換工，	粉砕，
解体，薬液注入，	現場内利用，	処分場，	廃棄処分	

解説

「建設工事に係わる資材の再資源化等に関する法律」（建設リサイクル法），建設副産物適正処理推進要綱より。

⑴　発注者，元請業者等は，建設工事の施工に当たり，適切な工法の選択等により，建設発生土の［**発生の抑制**］に努めるとともに，その［**現場内利用**］の促進等により搬出の抑制に努めなければならない。

⑵　発注者は，建設発生土を必要とする他の工事現場との情報交換システムを活かした連絡調整，［**ストックヤード**］の確保，再生資源施設の活用，必要に応じて［**土質改良**］を行うことにより，工事間の利用の促進に努めなければならない。

⑶　元請業者等は，建設発生土の搬出にあたっては建設廃棄物が混入しないよう，

［**分別**］に努めなければならない。

解答

(イ)	(ロ)	(ハ)	(ニ)	(ホ)
発生の抑制	現場内利用	ストックヤード	土質改良	分別

問題2 □□□

「建設工事に係る資材の再資源化等に関する法律」(建設リサイクル法)により定められている，下記の特定建設資材①～④から2つ選び，その番号，再資源化後の材料名又は主な利用用途を，解答欄に記述しなさい。ただし，同一の解答は不可とする。

R５［問題３］，H26［問題５－２］出題

① コンクリート
② コンクリート及び鉄から成る建設資材
③ 木材
④ アスファルト・コンクリート

解答欄

1.	特定建設資材名	
	再資源化後の材料名 又は主な利用用途	
2.	特定建設資材名	
	再資源化後の材料名 又は主な利用用途	

解説

特定建設資材	再資源化後の材料名	利用用途
①コンクリート ②コンクリート及び鉄からなる建設資材	・再生クラッシャーラン ・再生コンクリート砂 ・再生粒度調整砕石	・路盤材 ・埋め戻し材 ・基礎材 ・コンクリート用骨材
③木材	・木質ボード ・堆肥 ・木質マルチング材	・住宅構造用建材 ・コンクリート型枠 ・発電燃料
④アスファルト・コンクリート	・再生加熱アスファルト安定処理混合物 ・表層基層用再生加熱アスファルト混合物 ・再生骨材	・上層路盤材 ・基層用材料 ・表層用材料 ・路盤材 ・埋め戻し材 ・基礎材

したがって，解答は，特定建設資材の中から2つを選び，該当する異なる再資源化後の材料名または利用用途をそれぞれ1つ記入する。

問題3 □□□

「資源の有効な利用の促進に関する法律」上の建設副産物である，建設発生土とコンクリート塊の利用用途についてそれぞれ解答欄に記述しなさい。

ただし，利用用途はそれぞれ異なるものとする。 H29［問題 9］出題

解答欄

1. 建設発生土の利用用途

2. コンクリート塊の利用用途

解説

国土交通省において「発生土利用基準」「コンクリート用再生骨材の品質規格」が定められており再使用および再生利用を以下の通り促進している。

建設発生土の主な利用用途	工作物の埋戻し材料・土木構造物の裏込材・道路盛土材料・宅地造成用材料・道路路体用盛土材料・河川築堤材料等
コンクリート塊の利用用途	道路舗装およびその他舗装の路盤材料・土木構造物の裏込材および基礎材・建築物の基礎材・工作物の埋戻し材料および基礎材等

したがって，解答は，それぞれ1つを選び，利用用途をそれぞれ1つ記入する。

環境対策（騒音対策）

騒音規制法

・騒音規制法は，工場又は事業場における事業活動並びに建設工事に伴って発生する相当範囲にわたる騒音について必要な規制を行うとともに，自動車騒音に係る許容限度を定める等により**生活環境**を保全し，国民の健康の保護に資することを目的とする。

・都道府県知事は，住居が集合している地域，病院又は学校の周辺の地域その他の騒音を防止することにより住民の生活環境を保全する必要があると認める地域を，特定工場等において発生する騒音及び特定建設作業に伴って発生する騒音について規制する地域として**指定**しなければならない。

・指定地域内において特定建設作業を伴う建設工事を施工しようとする者は，当該特定建設作業の開始日の**7日前**までに，定められている事項を**市町村長**に届けなければならない。

・**市町村長**は，指定地域内で行われる特定建設作業に伴って発生する騒音が環境大臣の定める基準に適合しないことにより周辺住民の生活環境が著しく損なわれると認められるときは，騒音の防止の方法を改善し，特定建設作業の**作業時間**を変更すべきことを勧告することができる。

具体的な騒音防止対策

① **騒音の小さい工法を採用する。**

② 国土交通省で指定している**低騒音型建設機械を採用する。**

③ **騒音の発生期間，日作業時間を短縮する。**（夜間，早朝の作業を避け，作業時間帯を影響の少なくなる作業工程とする。）

④ 機械の**整備状態を良くする。**（老朽化した機械や長時間整備していない機械は，大きな騒音の発生原因となる。履帯の張りの調整に留意する。）

⑤ 適切な動力方式や型式の建設機械を選択する。（空気式より油圧式，大型機種より小型機種，履帯式よりタイヤ式の方が一般に騒音は小さい。機械の動力にはできる限り商用電源を用い，発動発電機の使用は避ける。）

⑥ **作業待ち時間には，エンジンを止めるなど，できるだけ騒音を発生させない。**

⑦ 機械の騒音は，エンジン回転速度に比例するので，**不必要な空ぶかしや高い負荷をかけた運転は避ける。**（ブルドーザの能力以上の土量を一度に押すとエンジン音が大きくなる。）

⑧ 履帯式機械は，走行速度が大きくなると騒音が大きくなるので**不必要な高速走行は避ける。**（ブルドーザを高速で後進させると足回り騒音が大きくなる。）

⑨ 土工板，バケットなどの衝撃的な操作は避ける。（衝撃力を利用したバケット爪の食い込み，付着した粘性土のふるい落とし等。）

⑩ **運搬路はできるだけ平坦に整備**し，急な縦断勾配や急カーブの多い道路は避ける。

⑪ **伝搬経路の対策としては防音（遮音）シート，防音パネル，遮音壁，遮音塀等を設置する。**

関連問題&よくわかる解説

問題1 □□□

騒音規制法で定められている特定建設作業の規制に関する次の文章の[　　]の（イ）～（ホ）に当てはまる適切な語句を，下記の語句から選び解答欄に記入しなさい。 H25[問題 5-1]出題

(1) 騒音規制法は，建設工事に伴って発生する騒音について必要な規制を行うことにより，住民の［ イ ］を保全することを目的に定められている。

(2) 都道府県知事は，住居が集合している地域などを特定建設作業に伴って発生する騒音について規制する地域として［ ロ ］しなければならない。

(3) 指定地域内で特定建設作業を伴う建設工事を施工しようとする者は，当該作業の開始日の［ ハ ］までに必要事項を［ ニ ］に届け出なければならない。

(4) ［ ニ ］は，当該建設工事を施工するものに対し騒音の防止方法の改善や［ ホ ］を変更すべきことを勧告することができる。

[語句]

指定，	産業活動，	環境大臣，	作業時間，	30日前，
機種，	10日前，	自然環境，	公報，	国土交通大臣，
周知，	市町村長，	7日前，	作業日数，	生活環境

解説

「騒音規制法」より。

(1) 騒音規制法は，建設工事に伴って発生する騒音について必要な規制を行うことにより，住民の［**生活環境**］を保全することを目的に定められている。

(2) 都道府県知事は，住居が集合している地域などを特定建設作業に伴って発生する騒音について規制する地域として［**指定**］しなければならない。

(3) 指定地域内で特定建設作業を伴う建設工事を施工しようとする者は，当該作業の開始日の［**7日前**］までに必要事項を［**市町村長**］に届け出なければならない。

(4) ［**市町村長**］は，当該建設工事を施工するものに対し騒音の防止方法の改善や［**作業時間**］を変更すべきことを勧告することができる。

解答

（イ）	（ロ）	（ハ）	（ニ）	（ホ）
生活環境	指定	7日前	市町村長	作業時間

問題2 □□□

ブルドーザ又はバックホウを用いて行う建設工事における具体的な騒音防止対策を，2つ解答欄に記述しなさい。 R 4［問題 9］，H27［問題 9］出題

解答欄

騒音防止のための対策

1. ____________________

2. ____________________

解説

建設工事で使用する建設機械の選定などにおける具体的な騒音の低減方法は，一般に以下のとおりである。

① （国土交通省指定の）低騒音型建設機械を使用する。
② 騒音の発生期間，日作業時間を短縮する。
③ 機械の点検・整備状態を良くする。（履帯の張りの調整に留意する）
④ 施工箇所の周囲に遮音壁，遮音シート等を設置する。
⑤ 不必要な空ふかしや高い負荷をかけた運転は避ける。
⑥ 不必要な高速走行は避ける。（制限速度を遵守させる。高速での後進運転を避ける）
⑦ 土工板，バケットなどの衝撃的な操作は避ける。（丁寧に作業を行う）
⑧ 影響の少ない作業時間帯，作業工程を設定する。（夜間，早朝の作業を避ける）
⑨ 作業の待ち時間にはエンジンを止める。（アイドリングストップ）

したがって，以上の建設機械の対策およびブルドーザ又はバックホゥの対策のうちから2つを選び，解答欄に記述する。

本試験問題

２級第二次検定　試験問題

※問題1〜問題5は必須問題です。必ず解答してください。 問題1で ①　設問1の解答が無記載又は記入漏れがある場合， ②　設問2の解答が無記載又は設問で求められている内容以外の記述の場合， どちらの場合にも問題2以降は採点の対象となりません。

必須問題

【問題１】 あなたが経験した土木工事の現場において，工夫した安全管理又は工夫した工程管理のうちから1つ選び，次の〔設問1〕，〔設問2〕に答えなさい。 **〔注意〕** あなたが経験した工事でないことが判明した場合は失格となります。

〔設問１〕　あなたが**経験した土木工事**に関し，次の事項について解答欄に明確に記述しなさい。

〔注意〕「経験した土木工事」は，あなたが工事請負者の技術者の場合は，あなたの所属会社が受注した工事内容について記述してください。従って，あなたの所属会社が二次下請業者の場合は，発注者名は一次下請業者名となります。
　なお，あなたの所属が発注機関の場合の発注者名は，所属機関名となります。

⑴　**工　事　名**
⑵　**工事の内容**
　①　**発注者名**
　②　**工事場所**
　③　**工　　期**
　④　**主な工種**
　⑤　**施 工 量**
⑶　**工事現場における施工管理上のあなたの立場**

〔設問２〕　上記工事で実施した**「現場で工夫した安全管理」**又は**「現場で工夫した工程管理」**のいずれかを選び，次の事項について解答欄に具体的に記述しなさい。

ただし，安全管理については，交通誘導員の配置のみに関する記述は除く。

⑴　特に留意した**技術的課題**

⑵　技術的課題を解決するために**検討した項目と検討理由及び検討内容**

⑶　上記検討の結果，**現場で実施した対応処置とその評価**

必須問題

【問題２】

地山の明り掘削の作業時に事業者が行わなければならない安全管理に関し，労働安全衛生法上，次の文章の［　　］の(イ)～(ホ)に当てはまる**適切な語句を，下記の語句から選び**解答欄に記入しなさい。

⑴　地山の崩壊，埋設物等の損壊等により労働者に危険を及ぼすおそれのあるときは，作業箇所及びその周辺の地山について，ボーリングその他適当な方法により調査し，調査結果に適応する掘削の時期及び［(イ)］を定めて，作業を行わなければならない。

⑵　地山の崩壊又は土石の落下により労働者に危険を及ぼす恐れのあるときは，あらかじめ［(ロ)］を設け，［(ハ)］を張り，労働者の立入りを禁止する等の措置を講じなければならない。

⑶　掘削機械，積込機械及び運搬機械の使用によるガス導管，地中電線路その他地下に存在する工作物の［(ニ)］により労働者に危険を及ぼす恐れのあるときは，これらの機械を使用してはならない。

⑷　点検者を指名して，その日の作業を［(ホ)］する前，大雨の後及び中震(震度4) 以上の地震の後，浮石及び亀裂の有無及び状態並びに含水，湧水及び凍結の状態の変化を点検させなければならない。

［語句］

土止め支保工，	遮水シート，	休憩，	飛散，	作業員，
型枠支保工，	順序，	開始，	防護網，	段差，
吊り足場，	合図，	損壊，	終了，	養生シート

必須問題

【問題 3】

「建設工事に係る資材の再資源化等に関する法律」（建設リサイクル法）により定められている，下記の特定建設資材①～④から**2つ選び，その番号，再資源化後の材料名又は主な利用用途**を，解答欄に記述しなさい。

ただし，同一の解答は不可とする。

① コンクリート

② コンクリート及び鉄から成る建設資材

③ 木材

④ アスファルト・コンクリート

必須問題

【問題 4】

切土法面の施工に関する次の文章の［　　］の(イ)～(ホ)に当てはまる**適切な語句を，下記の語句から選び**解答欄に記入しなさい。

(1) 切土の施工に当たっては［(イ)］の変化に注意を払い，当初予想された［(イ)］以外が現れた場合，ひとまず施工を中止する。

(2) 切土法面の施工中は，雨水等による法面浸食や［(ロ)］・落石等が発生しないように，一時的な法面の排水，法面保護，落石防止を行うのがよい。

(3) 施工中の一時的な切土法面の排水は，仮排水路を［(ハ)］の上や小段に設け，できるだけ切土部への水の浸透を防止するとともに法面を雨水等が流れないようにすることが望ましい。

(4) 施工中の一時的な法面保護は，法面全体をビニールシートで被覆したり，［(ニ)］により法面を保護することもある。

(5) 施工中の一時的な落石防止としては，亀裂の多い岩盤法面や礫等の浮石の多い法面では，仮設の落石防護網や落石防護［(ホ)］を施すこともある。

［語句］

土地利用，	看板，	平坦部，	地質，	柵，
監視，	転倒，	法肩，	客土，	N値，
モルタル吹付，	尾根，	飛散，	管，	崩壊

必須問題

【問題5】

コンクリートに関する下記の用語①～④から**2つ選び，その番号，その用語の説明**について解答欄に記述しなさい。

① アルカリシリカ反応
② コールドジョイント
③ スランプ
④ ワーカビリティー

問題6～問題9までは選択問題⑴，⑵です。

※問題6，問題7の選択問題⑴の2問題のうちから1問題を選択し解答してください。
なお，選択した問題は，解答用紙の選択欄に○印を必ず記入してください。

選択問題⑴

【問題6】

盛土の締固め管理方法に関する次の文章の［　　］の(イ)～(ホ)に当てはまる**適切な語句又は数値を，下記の語句又は数値から選び**解答欄に記入しなさい。

⑴ 盛土工事の締固め管理方法には，［(イ)］規定方式と［(ロ)］規定方式があり，どちらの方法を適用するかは，工事の性格・規模・土質条件など，現場の状況をよく考えた上で判断することが大切である。
⑵ ［(イ)］規定方式のうち，最も一般的な管理方法は，現場における土の締固めの程度を締固め度で規定する方法である。
⑶ 締固め度の規定値は，一般に JIS A 1210（突固めによる土の締固め試験方法）のA法で道路土工に規定された室内試験から得られる土の最大［(ハ)］の［(ニ)］%以上とされている。
⑷ ［(ロ)］規定方式は，使用する締固め機械の機種や締固め回数，盛土材料の敷均し厚さ等，［(ロ)］そのものを［(ホ)］に規定する方法である。

［語句又は数値］

施工,	80,	協議書,	90,	乾燥密度,
安全,	品質,	収縮密度,	工程,	指示書,
膨張率,	70,	工法,	現場,	仕様書

選択問題⑴

【問題７】

コンクリート構造物の鉄筋の組立及び型枠に関する次の文章の［　　］の(イ)～(ホ)に当てはまる**適切な語句を，下記の語句から選び**解答欄に記入しなさい。

⑴　鉄筋どうしの交点の要所は直径0.8mm 以上の［ (イ) ］等で緊結する。

⑵　鉄筋のかぶりを正しく保つために，モルタルあるいはコンクリート製の［ (ロ) ］を用いる。

⑶　鉄筋の継手箇所は構造上の弱点となりやすいため，できるだけ大きな荷重がかかる位置を避け，［ (ハ) ］の断面に集めないようにする。

⑷　型枠の締め付けにはボルト又は鋼棒を用いる。型枠相互の間隔を正しく保つためには，［ (ニ) ］やフォームタイを用いる。

⑸　型枠内面には，［ (ホ) ］を塗っておくことが原則である。

［語句］

結束バンド,	スペーサ,	千鳥,	剥離剤,	交互,
潤滑油,	混和剤,	クランプ,	焼なまし鉄線,	パイプ,
セパレータ,	平板,	供試体,	電線,	同一

※**問題8，問題9の選択問題(2)の2問題のうちから1問題を選択し解答してください。**
なお，選択した問題は，解答用紙の選択欄に○印を必ず記入してください。

選択問題(2)

【問題8】

建設工事における移動式クレーン作業及び玉掛け作業に係る安全管理のうち，**事業者が実施すべき安全対策**について，下記の①，②の作業ごとに，それぞれ1つずつ解答欄に記述しなさい。

ただし，同一の解答は不可とする。

① 移動式クレーン作業
② 玉掛け作業

選択問題(2)

【問題9】

下図のような管渠を構築する場合，施工手順に基づき**工種名を記述し，横線式工程表（バーチャート）を作成し，全所要日数を求め**解答欄に記述しなさい。
各工種の作業日数は次のとおりとする。

・床掘工 7 日　・基礎砕石工 5 日　・養生工 7 日　・埋戻し工 3 日
・型枠組立工 3 日　・型枠取外し工 1 日　・コンクリート打込み工 1 日
・管渠敷設工 4 日

ただし，基礎砕石工については床掘工と3日の重複作業で行うものとする。
また， 解答用紙に記載されている工種は施工手順として決められたものとする。

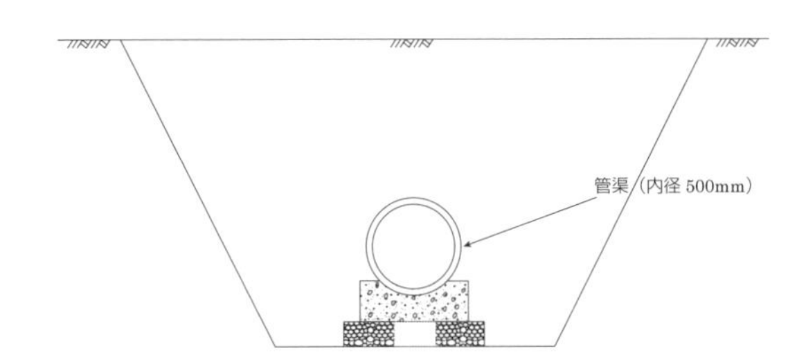

解答試案

ここに記載している解答は『解答試案』であり，あくまで参考資料です。
また，解答は一例であり記述式問題では記載したものの他にも正解となる解答がある場合があります。

【問題1】 安全管理と工程管理

省略（ご自身の経験をもとに，それぞれの工事概要・施工経験記述を記入してください）

【問題2】

（イ）	（ロ）	（ハ）	（ニ）	（ホ）
順序	土止め支保工	防護網	損壊	開始

【問題3】

特定建設資材	再資源化後の材料名又は主な利用用途
・コンクリート ・コンクリート及び鉄からなる建設資材	再生クラッシャーラン，再生粒度調整砕石，路盤材，埋め戻し材，コンクリート用骨材等
・木材（建設発生木材）	木質ボード，木質マルチング材，住宅構造用建材，コンクリート型枠，発電燃料等
・アスファルト・コンクリート	再生加熱アスファルト安定処理混合物，表層基層用再生加熱アスファルト混合物，再生骨材，上層路盤材，表層用材料，路盤材，埋め戻し材等

【問題4】

（イ）	（ロ）	（ハ）	（ニ）	（ホ）
地質	崩壊	法肩	モルタル吹付	柵

【問題 5】

用語	用語の説明
アルカリシリカ反応	コンクリート中のアルカリ分と反応性をもつ骨材（骨材に含まれるシリカ分）が，化学反応し，コンクリートに膨張ひび割れを生じさせる現象。
コールドジョイント	コンクリートを層状（2層以上に分けて）打ち込む場合に，先に打ち込んだコンクリートと後から打ち込んだコンクリートの間が，完全に一体化していない不連続面。
スランプ	フレッシュコンクリートの軟らかさの程度を示す指標の一つで，スランプコーンを引き上げた直後に測った頂部からの下がりで表す。
ワーカビリティー	コンクリートの運搬，打ち込み，締固め等の施工性の容易さを示すコンクリートの性質。

【問題 6】

(イ)	(ロ)	(ハ)	(ニ)	(ホ)
品質	工法	乾燥密度	90	仕様書

【問題 7】

(イ)	(ロ)	(ハ)	(ニ)	(ホ)
焼きなまし鉄線	スペーサ	同一	セパレータ	剥離剤

【問題8】

		安全対策
①	移動式クレーン作業	・地盤が軟弱である場所で，移動式クレーンを用いて作業を行ってはならない。 ・アウトリガーを最大限に張り出さなければならない。 ・定格荷重をこえる荷重をかけて使用してはならない。 ・一定の合図を定め，合図を行なう者を指名して，その者に合図を行なわせなければならない。 ・上部旋回体と接触することにより労働者に危険が生ずるおそれのある箇所に労働者を立ち入らせてはならない。 ・強風のため，危険が予想されるときは，当該作業を中止する。
②	玉掛け作業	・安全係数6以上のワイヤロープを使用する。 ・その日の作業を開始する前にワイヤロープ等の異常の有無について点検を行なう。 ・次の各号のいずれかに該当するワイヤロープを使用してはならない。（解答としてはいずれかを記入すれば正解となります） ①ワイヤロープ一よりの間において素線の数の10％以上の素線が切断しているもの ②直径の減少が公称径の7％をこえるもの ③キンクしたもの ④著しい形くずれ又は腐食があるもの

上記の項目より各々1つを簡潔に記述する。

【問題 9】

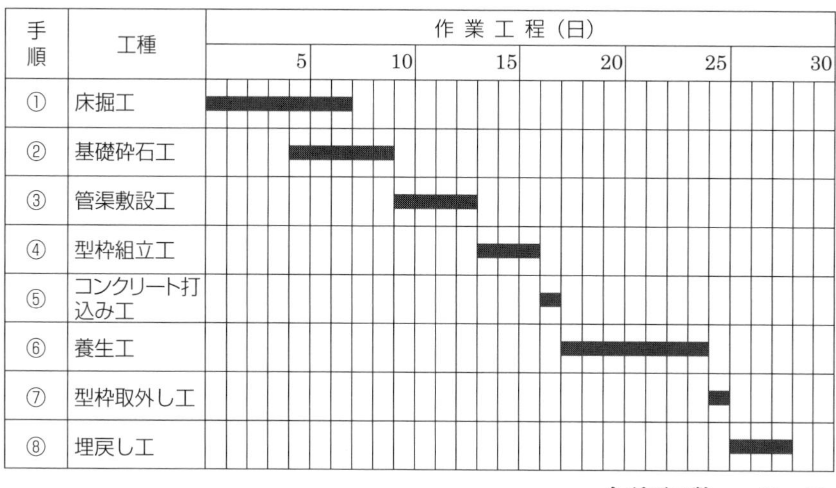

全所要日数　28　日

MEMO

MEMO

MEMO

MEMO

MEMO

MEMO

MEMO

MEMO

著者略歴

濱田　吉也（Youtuber 講師　ひげごろー）

2001年　大阪工業大学　土木工学科卒業
2001年　中堅ゼネコン入社
2012年　厚生労働大臣指定講座の講師として大阪・盛岡・仙台・福島・名古屋・金沢会場の講座で活躍中
2016年　施工管理求人ナビサイト「施工の神様」で執筆中
2016年　YouTube にて授業動画配信スタート
2017年　SEEDO の土木，建築施工講師として活動開始
2019年　TBS 新・情報7days ニュースキャスター出演
2021年　修成建設専門学校非常勤講師
2024年　YouTube チャンネル登録者数2.5万人突破
（総視聴回数　300万回超）

取得資格：1 級土木施工管理技士・1 級建築施工管理技士
1・2 級電気通信工事施工管理技士

※当社ホームページ http://www.kobunsha.org/ では，書籍に関する様々な情報（法改正や正誤表等）を掲載し，随時更新しております。ご利用できる方はどうぞご覧ください。正誤表がない場合，あるいはお気づきの箇所の掲載がない場合は，下記の要領にてお問い合わせください。

プロが教える
2級土木施工管理　第二次検定

著　　者　濱　田　吉　也

印刷・製本　（株）太　洋　社

発　行　所　株式会社 弘　文　社

代　表　者　岡　崎　　靖

〒546-0012 大阪市東住吉区
中野2丁目1番27号
☎ (06) 6797―7441
FAX (06) 6702―4732
振替口座 00940―2―43630
東住吉郵便局私書箱1号